D1213283

10
18

12, AVENUE D'ITALIE. PARIS XIIIe

Sur l'auteur

Hubert Selby Jr. est né à Brooklyn en 1928. À seize ans, il s'engage dans la marine marchande, mais, atteint de tuberculose, il démissionne et est hospitalisé durant quatre ans, de 1946 à 1950. La maladie, l'alcool, la drogue, les hôpitaux psychiatriques et même la prison font partie de sa vie jusqu'au jour où il achète une machine à écrire. En 1964, *Last Exit to Brooklyn* paraît aux États-Unis et rencontre immédiatement un très vif succès. Il publie ensuite d'autres romans – *Retour à Brooklyn*, *La Geôle*, *Le Démon* –, toujours salués par la critique. Après un silence de près de trente ans, il publie *Le Saule* (L'Olivier, 1999) et *Waiting Period*. Hubert Selby Jr. est mort à Los Angeles le 26 avril 2004.

HUBERT SELBY Jr.

WAITING PERIOD

Traduit de l'anglais (États-Unis)
par Claro

FLAMMARION

Du même auteur
aux Éditions 10/18

Ouvrage précédemment paru
dans la collection « Domaine Étranger »
créée par Jean-Claude Zylberstein

Titre original :
Waiting Period

ISBN 978-2-264-04379-5

Préface

« La mort est toujours soudaine, même si vous l'avez longtemps attendue. »

Hubert Selby Jr, correspondance personnelle.

La première chose que le visiteur découvrait en entrant dans l'appartement d'Hubert Selby Junior à West Hollywood, entre Melrose et la Cienega, c'était l'espèce de petit autel dressé par son occupant à même la moquette, devant la fenêtre : un assortiment de minuscules cailloux et de galets ovales portant des inscriptions comme « Hope » (« Espoir ») ou « Life » (« Vie ») disposés en rosace autour de statuettes de bouddhas aux faciès impénétrables. Après cela, un gorille noir en peluche qui trônait sur le meuble de la stéréo et remuait les babines en chantant « Wild Thing ». Des livres en quantité, débordant des étagères pour recouvrir intégralement la table basse du salon.

Une quantité impressionnante de CD de Beethoven, unique influence « consciente » de l'écrivain. Des flacons de vitamines sagement alignés dans la kitchenette « américaine » attenante, et dans une salle de bains dont la porte ne fermait pas, plusieurs serviettes bleues griffées « Cubby », surnom depuis l'âge de dix ans de Selby, devenu avec l'âge une sorte de fakir ratatiné flottant dans un pantalon beige de vacancier et une chemisette d'où émergeaient des avant-bras squelettiques.

Né en 1928 juste avant la Grande Dépression, Hubert Selby Jr est l'auteur d'un brelan de livres à l'incandescence unique dont le plus notoire, publié pour la première fois en 1964, lui valut un retentissant procès pour « obscénité » au cours duquel Samuel Beckett et Anthony Burgess vinrent prendre sa défense. Censuré en Angleterre, interdit de traduction en Italie, interdit à la vente aux mineurs dans certains États d'Amérique, *Last Exit to Brooklyn*, traduit en douze langues et vendu à plus de deux millions d'exemplaires, fit la gloire de Selby, et contribua à sa dégringolade : « Si j'avais eu une mentalité de yuppie, je n'aurais pas claqué le peu de fric que j'ai gagné alors en gnôle et en défonce, commentait sobrement, l'intéressé. Mais je n'aurais écrit aucun de mes livres non plus ! »

Last Exit to Brooklyn narrait de l'intérieur, en six nouvelles d'une intensité inédite, le vécu d'une Amérique inacceptable : celle des prostitués, travelos et autres déclassés occupés à survivre à coups d'arnaques minables et de défonces frénétiques.

« The Strike » (« La Grève »), le gros morceau de l'affaire, chroniquait également le glissement vers la pédophilie d'un ouvrier lambda nommé Harry Black. Et ça n'était rien encore à côté des futurs « Harry » tueurs ou junkies qui se manifesteraient bientôt dans *Le Démon* ou *Retour à Brooklyn.*

« Le problème principal de mes personnages, c'est que leur vie a dérapé, résumait l'écrivain. Ils ont perverti leur humanité, et il en résulte des trucs assez moches. » Inventeur déposé d'un style inouï à mi-chemin entre reportage journalistique et transe incantatoire, Selby dut sans doute aussi à son réalisme cinglant, en pleine période hippie envapée, l'humiliante mise à l'écart qui sanctionna toutes ses publications ultérieures : *The Room* (*La Geôle*, 1971), *The Demon* (*Le Démon*, 1976), *Requiem for a Dream* (*Retour à Brooklyn*, 1978), le recueil de nouvelles *Songs of the Silent Snow* (*Chanson de la neige silencieuse*, 1986), *The Willow Tree* (Le Saule, 1998) péniblement écoulés chacun à quelques milliers d'exemplaires.

Et enfin *Waiting Period* que vous tenez entre les mains, même pas publié, ô scandale, dans sa contrée natale.

L'abrasif Selby a inspiré nombre d'imitateurs prospères (Brett Easton Ellis, pour ne citer que lui), deux adaptations cinématographiques (*Last Exit* et plus récemment *Requiem*) et fait l'objet d'un culte international particulièrement fervent dans les cercles rock (Lou Reed et Bowie comptent parmi ses fans), mais, après *Last Exit*, est toujours resté un « outsider » en termes de ventes et de notoriété. Il avait l'air de s'en ficher : « Je dois m'y résigner, je ne suis pas un écrivain commercial. Un prix Nobel aiderait sans doute. Et des gardes du corps ! », ajoutait-il avec le sens de l'humour grinçant qui le caractérisait.

Du plus loin qu'il se rappelle, Hubert Selby Jr a toujours « détesté sa vie ». Fils d'un poivrot violent « entièrement dévasté par le sentiment submergeant de sa nullité, et mort à soixante-dix-huit ans comme il avait vécu, c'est-à-dire saoul », Junior, enfant, se liquéfie de trouille chaque soir dans son lit à l'idée qu'une scène risque d'éclater entre ses parents : « Je me sentais coupable, en permanence. J'avais forcément fait quelque chose de mal, même si j'ignorais quoi. J'avais peur que des Autorités Suprêmes viennent me botter le cul. Ce qu'elles ont fait, d'ailleurs, toute ma vie durant ! »

Cancre avéré, il envisage un temps de devenir biologiste (« Je disais : "germiologiste" ») afin de guérir le monde de ses maladies. Mais la guerre éclate, lui offrant l'occasion de tituber dans les traces de son père. « J'étais grand, plutôt bien bâti, et terriblement arrogant. Odieux, même, quand je pouvais me le permettre. Je voulais désespérément être un homme, mais j'étais surtout un emmerdeur de première. » À quinze ans, il s'engage dans la marine marchande US. « J'ai adoré ça – les bateaux, leur odeur, les sensations, tout. Je le ferais toujours, si je pouvais. »

Deux ans plus tard, ça baigne nettement moins : atteint par la tuberculose, Selby rentre pour la première fois à l'hôpital, mourant. Il y restera quatre ans, et ne cessera plus ensuite d'être malade – jusqu'à recevoir plusieurs fois les derniers sacrements qui décideront de sa véritable vocation : épouvanté à la pensée de trépasser sans avoir rien fait de sa vie, il se met à écrire, chaque soir en rentrant de son quelconque boulot abrutissant, avec l'entêtement fiévreux des autodidactes : « Je n'avais aucun don inné, aucun talent, rien, insistait-il. Je me suis acharné chaque nuit, toutes les nuits, pendant des années. »

« J'écris avant tout sur la solitude, disait-il. Tout le monde connaît ça : le désir d'être quelqu'un, le besoin de trouver quelque chose. Les addictions, la dégénérescence de l'être humain. Toutes les compensations que les gens trouvent à ce qu'ils estiment être des manques, ou des blessures dans leurs vies. La souffrance, subie et infligée. » C'est précisément le propos de *Waiting Period* tel que narré avec espièglerie par l'auteur lui-même : « C'est l'histoire d'un type très déprimé qui décide de se faire sauter la cervelle mais doit attendre cinq jours le flingue qu'il a commandé à cause d'un problème d'ordinateur. Du coup, il devient tellement furax contre le système que ses tendances suicidaires se changent en pulsions homicides. Il se met à tuer des gens et se sent tout de suite beaucoup mieux ! » Lui faisait-on remarquer, pour tester sa réaction, que tout cela n'avait pas l'air très « moral » qu'il répondait en éclatant de rire, dardant sur l'inquisiteur (trice) son regard bleu translucide, qui illuminait par éclairs d'une drôle de lueur intense son visage desséché : « Au contraire ! Ça prouve simplement qu'il faut un but dans la vie. » De fait, Selby a toujours dit qu'il lui fallait pénétrer l'essence même de ses personnages afin de pouvoir écrire sur eux. À cet égard, le héros criminel de *Waiting Period* ne fait pas exception : « Vieillir n'apaise pas nécessairement les gens comme moi, estimait-il. Il y a toujours un côté de mon caractère qui reste méchant et vicieux. Je n'ai aucun mal à m'identifier aux *serial killers*, croyez-moi. Jusqu'à un certain point, où je m'arrête net : la réalisation. Ça, je peux seulement l'imaginer… »

Dans la vie réelle, Cubby se montrait pourtant d'une gentillesse et d'une serviabilité exemplaires. Il vous drivait vers les magasins de jouets de L.A., choisissait pour vous la casquette « Godzilla » qui plairait au gamin, vous accompagnait dans un Vitamin Shop, où il vous conseillait le must en matière de ginseng (sibérien ou rien), donnait à cet ami commun insomniaque des recettes pour dormir (se répéter « je suis », car qui que vous soyez, vous « êtes »), signait docilement tout ce qu'on lui amenait lors de ses virées promotionnelles, même aux sans-gêne qui n'avaient pas pris la peine d'acheter son dernier bouquin, vous rappelait souvent et à point nommé quel bonheur c'était de vous avoir comme ami(e), et terminait invariablement ses lettres par sa formule consacrée : « Enjoy the Blessings of Life » – « Profite des bénédictions de la vie ».

Lui, récemment disparu à soixante-quinze ans, n'en profitera plus. Et le petit autel de son appartement est aujourd'hui funéraire. Doivent toujours s'y prélasser les placides bouddhas et, sagement posées à même le sol, les petites pierres « Hope » et « Life ». À lui, qui souhaitait si possible quitter « légèrement, joyeusement » son corps qu'il se résignait à voir fonctionner chaque jour un peu plus au ralenti, la Vie éternelle de l'âme, si quelque chose du genre existe. À nous, lecteurs, l'Espoir que celui que ses aficionados considéraient comme « le plus grand écrivain américain vivant » soit enfin reconnu comme tel – hélas à titre posthume. Le sulfureux et visionnaire *Waiting Period* (sans dévoiler l'intrigue, on ne pourra s'empêcher de penser à l'anthrax, alors que le roman fut rédigé avant le 11 septembre), symbolise, après *Le Saule*, jugé un peu trop pleureur par certains, le retour bienvenu à l'ambiance malsaine régnant sur tous les autres romans de l'écrivain. Autrement dit, un ultime jet d'encre qui boucle la boucle en beauté.

Laurence Romance

Ce livre est dédié à
L'INQUISITION

« Tout a un but sur terre, et chaque chose accomplit sa mission – les algues, les scarabées, les parasites – sans se tracasser ou se poser de questions. Nous sommes les seuls éléments de la Création à être aveuglés par les désirs et de ce fait à ignorer notre mission particulière, individuellement et collectivement, et à passer notre existence dans la quête insensée du néant. »

Gottfried Llewelyn-Jones
Anatomy and Evolution of Universal Madness

… mais visiblement la meilleure méthode ce sont les somnifères et un sac en plastique sur la tête… dans une baignoire remplie d'eau, je dirais. M'a l'air très facile. Plutôt paisible. On s'endort et c'est bon. Ouais, je suppose… si on n'est pas malade et qu'on vomit pas toutes ces saletés de cachets… Ouais, allongé dans une baignoire recouvert de ma propre gerbe, tellement dans les vapes que je peux pas me relever – un instant, comment pourrais-je baigner dans la gerbe, j'ai un sac en plastique sur la tête… eh merde, je m'étranglerais avec mon propre vomi, berk, c'est dégueulasse et je serais sûrement trop faiblard pour déchirer un trou dans le sac ou l'enlever et je resterais là à sentir ce qui se passe, à tournoyer, tomber… tomber dans quoi ? Allez savoir. Là où on tombe… un abîme je dirais… au fond, tout au fond… au fond de l'enfer… ou en tout cas au purgatoire, du moins c'est ce que disent les catholiques. Mêmes ceux qui n'ont pas de purgatoire ont un enfer. Bref, c'est l'enfer…

Mais

supposons que je change soudain d'avis et que j'appelle les flics? Il se passe quoi alors? Je vais me retrouver dans un asile de dingues avec des millions de gens qui me poseront des questions, qui me rendront dingue voudront savoir pourquoi j'ai fait ça, comme si vivre dans ce monde était si merveilleux qu'il fallait être fou pour vouloir le quitter. Ils s'esquintent les uns les autres à essayer de vivre de plus en plus vieux, allez, encore une année, c'est tout... Ouais, vivre pour atteindre 70, 80, 90 ans ou je ne sais quel âge encore. Dans quel but? Et qui sont-ils bon dieu pour prétendre que je suis cinglé parce que j'en ai eu marre de ce monde pourri? Qu'ils aillent se faire voir. À me gonfler avec leurs questions: pourquoi avez-vous fait ceci? pourquoi avez-vous fait cela? pourquoi n'aimez-vous pas ça? pourquoi ne faites-vous pas plus d'exercice? prenez pas des cours de gym? ouais, gardez la forme, buvez de l'eau d'Évian, apprenez à danser, sortez en boîte, rencontrez des nanas, fréquentez une église et rencontrez des nanas, sortez un peu, agrandissez votre cercle d'amis, prenez un verre ou deux, ne soyez pas aussi rigide, fumez donc de la marijuana, décompressez, rencontrez des nanas.

Et

supposons que ces beaux enfoirés ne me transportent pas à l'hôpital à temps? Ouais, ils merdent et on ne me fait pas de lavement d'estomac à temps et je me retrouve paralysé, ligoté à un lit avec des couches, à fixer le plafond, à gamberger… c'est tout, juste gamberger, gamberger… incapable de bouger, complètement dépendant des personnes qui s'occupent de moi et vous savez le genre de boulot qu'elles font, elles vous laissent mariner dans vos couches pendant des jours, la puanteur totale, complètement humilié, le dos déchiqueté par les escarres et vous ne pouvez rien dire, pas même gémir ou crier… juste gamberger, gamberger, 24 heures par jour, gamberger… bon sang, un trajet de cinq minutes jusqu'à l'hosto et ça leur prend plus d'une demi-heure, à ces sales connards. On m'a déjà raconté des trucs comme ça. C'est pas arrivé qu'une fois… Des tas, des tas de fois. Comme cette femme dans le New Jersey. Ça s'est passé des années avant qu'ils la débranchent. Jeune, aussi. Je me demande si elle essayait de se barrer ou si elle a juste fait une overdose. Je sais pas. Enfin bref, c'est risqué. Qui sait ce qui peut se passer quand vous avalez tous ces cachets ? Vous pouvez appeler n'importe qui. Ce n'est pas une méthode sûre.

Mais
la vieille méthode romaine c'est pas joli joli. Je suppose qu'elle marche vraiment, mais bon dieu… S'allonger dans une baignoire d'eau chaude et se lacérer les poignets et les chevilles… Je sais pas trop. Je suppose qu'il vous faut une lame de rasoir vraiment coupante, ou alors un coupe-choux.

Comment vous faites pour le garder en main après la première entaille ? C'est tout sanguinolent et glissant. Vous risquez de lâcher le couteau et déjà l'eau est toute rouge et vous voyez pas votre saleté de couteau et vous devez tâtonner pour le retrouver et à tous les coups vous vous coupez la main sur toute la longueur et peut-être que vous tournez de l'œil avant d'avoir le temps de terminer le boulot et quelqu'un vous trouve et vous emmène à l'hosto et ils vous recousent et voilà que débarquent tous ces gens à nouveau ils veulent savoir ce qui ne va pas ensuite toutes les questions et ni une ni deux vous vous retrouvez chez les mabouls… merde ! Vous revoilà au même endroit. Impossible de gagner. Même si vous ne lâchez pas le couteau comment voulez-vous vous ouvrir un bras du poignet au coude, puis vous servir de ce bras pour vous ouvrir l'autre bras ? faudrait être sacrément rapide. S'assurer de commencer par les chevilles. Ouais. C'est important. D'abord les chevilles. Bon sang, ça doit vraiment faire mal. Comme la fois où je me suis pris le pied dans ce bout de barbelé et entaillé la cheville. La vache, ça faisait mal. Ça s'est terminé par des injections antitétaniques… Et il faut faire les deux. Merde, je sais pas dans quel sens les ouvrir, vers le haut… ou en biais. Je serais obligé de fermer les yeux. Bon sang, si vous vous y prenez correctement vous devez pouvoir apercevoir l'os, tous ces muscles et ces tendons et le reste bon sang quelle vision répu… berk. Mais comment ils s'y prenaient, bon sang ? Et hara-kiri ? C'est franchement dingue. Dans... bien à fond, on remonte et encore... Non, impossible. Il faut être né là-dedans. C'est tout simplement pas pour les Occidentaux. Plus que culturel, visiblement religieux. Ça me dépasse... ou peut-être juste se laisser tomber sur une épée... ouais, c'est une bonne solution... D'abord il vous faut une sacrée épée, puis vous devez vous entraîner des années pour trouver la façon de s'y prendre, qui c'est qui invente des trucs aussi dingues ? Des chevaliers en armures étincelantes. Des idiots. Pourquoi pas, le monde est plein d'idiots. Un des avantages de la guerre moderne, c'est que vous n'avez pas besoin de tomber sur votre épée si vous faites une erreur. Pas besoin de trimballer non plus un de ces foutus machins... à moins d'être anglais. Ils en ont sûrement encore. J'pense que les cadets de West Point en ont encore... qui sait, peut-être qu'ils en ont tous, ça leur donne l'impression d'être des braves qui se trimballent avec leur épée qui cogne partout... ouais, me demande si les femmes doivent en porter une elles aussi ? Risque de leur donner l'air trop viril, putain, qu'est-ce qui se passe ? On dirait que la folie de ce monde me pourrit la cervelle. Pourquoi ne pas sauter tout simplement par la fenêtre ???? Pourquoi faut-il que ça devienne aussi compliqué, bordel ? À quoi bon tous ces rituels ? Quelque chose de simple, comme une balle dans la tête. Rapide. Propre. Adieu. Ça s'arrête là ça suffit largement. Dis-leur Pork : th th th thats all Folks...

En fait c'est une bonne idée. Un flingue. Les ai jamais aimés, j'y connais rien. Les gens arrêtent pas de se tirer dessus. Bande d'ignares. Tarés de première. Flinguent leurs propres mômes en pleine nuit. Folie macho américaine débile. Ils devraient peut-être revenir aux épées. Ça épargnerait pas mal de vies innocentes. Mais même avec un flingue ça ne marche pas, des fois. On dit qu'il faut mettre le canon dans la bouche – ça doit être dégoûtant. C'est arrivé que des types s'éraflent juste la tempe, ou se tirent une balle dans la poitrine et ratent le cœur. Faut mettre le canon dans la bouche… et le diriger vers le haut je crois. Le genre avec un canon long et tout mince. Un pistolet, je dirais. Doit pas être trop petit sinon je risque de me péter les dents. Un truc gros. Un 38 ? Magnum ? Ils sont plus gros et ont des canons… je crois. Comment on s'en procure un ? Ouais, bien sûr, dans une armurerie, je voudrais un pistolet avec un canon qui puisse toucher le haut de mon palais, un truc parfumé à la menthe ou à la cannelle. Merde. Serai sûrement obligé de remplir une douzaine de formulaires et d'attendre. Cinq jours je suppose. Et voilà c'est reparti. On peut rien faire sans qu'ils vous regardent par-dessus votre épaule. Putain, en quoi ça les regarde ce que vous faites de votre vie ? Vous vous crevez le cul au boulot, vous leur donnez la moitié de votre fric – leur donnez ? ils le prennent, oui, et si vous essayez de les en empêcher ils vous jettent en prison pour ça aussi. Mais pourquoi ça serait illégal de mettre fin à sa vie ?

Quel tas de conneries. Un délit! Vous entendez ça, c'est un délit de se suicider... ou en tout cas d'essayer et de se rater. Et si vous vous ratez ils vous enferment. Vous vous rendez compte? Ils vous enferment. Me demande ce qu'ils font si vous réussissez? Trimballent votre cadavre au tribunal avant de vous enterrer?

Est-il vrai que vous ayez mis fin à vos jours?

'...'

L'accusé est obligé de répondre aux questions du tribunal.

'...'

Si vous continuez de refuser de répondre vous serez accusé d'outrage à la cour.

'...'

Fort bien, en ce cas, vous serez placé en détention préventive dans la prison du comté jusqu'à ce que vous fassiez savoir au tribunal que vous êtres prêt à répondre aux questions du tribunal. Incroyable, non? Un crime, se suicider. La seule chose que vous ayez qui soit vraiment à vous et ils vous disent ce que vous pouvez faire et ne pas faire avec. Vous devez vivre que ça vous plaise ou pas. Les tyrans de l'église disent que vous n'avez pas le droit de vous suicider parce que vous ne vous êtes pas créé vous-même et donc dieu est le seul à pouvoir reprendre ce qu'il a donné. Le suicide est un péché impardonnable. Non seulement ils veulent vous contrôler pendant que vous êtes en vie, mais ils veulent vous hanter dans votre cercueil! Quelle connerie, c'est ridicule. Ces

« saints au service de dieu » tuent des millions et des millions de gens au nom de dieu, mais vous, vous n'avez pas le droit de mettre un terme à votre existence, à votre lamentable existence. Dieu m'a donné la vie. Merde ! Peut-être que dieu peut faire un arbre, mais ça n'a aucun rapport avec moi. Et de toute façon, où est-ce qu'ils ont vu que cette connerie religieuse avait valeur de loi ? Bon, on le comprend, le gouvernement veut tous les consommateurs qu'il peut récupérer. Je comprends très bien que des personnes aient envie de faire sauter nos dirigeants. Tous ces sordides petites ordures. Bon sang, qu'est-ce qu'ils peuvent m'agacer. Les flinguer ça serait trop bon pour ces sangsues. Il faut les étrangler ces vampires. J'arrive pas à y croire, inculper un mort ! Je me demande combien ça coûte un flingue. Même si vous voulez descendre ces ordures vous devez devenir un consommateur. Ils vous mènent par le bout du nez. Réglez en carte bancaire et ces goules vous piqueront vos plombages pour rentrer dans leurs frais. Je me demande combien d'or j'ai dans la bouche ? Je devrais peut-être dégoter un vieux nazi, il pourrait me dire au premier coup d'œil combien vaut ma bouche. Pense pas qu'il en reste de planqué dans les parages. La clique de bureaucrates la plus hideuse que le monde ait jamais vu, et ils vivent éternellement… en bonne santé, riches, avec du fric plein les fouilles. Comment ça peut marcher, bordel ? Comment ils peuvent faire les choses qu'ils font et dormir comme des loirs, sans jamais se sentir coupables? Suppose que c'est guère différent d'assassiner des « négros » dans le Sud, ou que le gang de Pat Robertson qui veut « éliminer » les communautés gay et « féministes ». Putain, quel holocauste on aurait si ces « hommes de dieu » se retrouvaient au pouvoir. L'Inquisition ressemblerait à un pique-nique pour enfants. Me demande combien de bons points on me filerait pour chacun d'eux que j'enverrais au type en chemise de nuit blanche avant de tirer ma révérence? Si je les livrais, j'aurais droit à toute une fournée. Je pensais que je plaisantais, mais c'est pas une si mauvaise idée. C'est le cœur léger que je m'avancerais dans la nuit si je pouvais percer quelques-uns de ces poches à pus nauséabondes. Bah… à quoi bon y penser, je peux pas le faire. Mieux vaux m'en tenir à me faire sauter le caisson. C'est la seule chose qui ait un sens. Pas la moindre issue hors de ce bordel épouvantable. Peux pas traverser cette obscurité. Elle a des crocs et des griffes et me boulotte en permanence la chair et m'arrache les yeux des orbites bon sang je suis bouffé et re-bouffé et encore bouffé mais jamais crevé… jamais. Une agonie perpétuelle, c'est tout. La torture ça se passe comme ça, d'abord y a la menace de la mort, puis y a la promesse de la mort, mais on n'a jamais droit au simple cadeau de la mort. Oh, à quoi bon toute cette folie du corps et de l'esprit? Je ne peux pas bouger. Peux pas sortir de cet appartement. Combien de temps encore? Des jours? Des semaines? Mais il m'arrive de sortir des fois. Tôt ou tard je me lèverai et j'ouvrirai cette porte et je sortirai de l'immeuble et j'irai m'acheter une arme. Tôt ou tard les démons s'endormiront, ne serait-ce qu'un moment. Ils s'endorment toujours. Je serai prêt. Je sais exactement où se trouve le magasin. Je connais les horaires. Je m'y rendrai. Tôt ou tard. C'est inévitable.

Bonjours, que puis-je pour vous ?

Euh… je comptais acheter une arme.

Ouais, ben c'est un article qu'on a en pagaille. Dingue, non, que ça soit le cas chez un armurier, hein ? Bon, vous pensiez à quoi, AK-47, pistolet à plombs, fusil de chasse, bazooka – des balles en plastique, bien sûr… Qu'est-ce que je peux pour vous ?

Eh bien, je ne sais pas trop, en fait. Je crois —

Vous cherchez plutôt du côté fusil, arme de poing, cou —

Oh, d'accord. Un revolver. Pas trop gros, si possible.

Bon, venez par ici. J'en ai toute une vitrine. Pistolets de tir, semi-automatiques, revolvers, calibres 22, 38, 357, 45.

Mince, ça en fait pas mal, non ?

Ouais, y en a pour tous les goûts. Je suppose que vous êtes un tueur à gages, pas vrai ?

Hein ? Quoi —

Du calme. Je plaisantais. Parce que vous y connaissez rien en armes, hein ?

C'est vrai.

Bon, ça dépend pour quel usage c'est. Protection, non ? Un truc à garder chez soi au cas où des déménageurs audacieux se pointeraient chez vous à trois heures du matin, non ?

Heuh... je ne —

Des intrus. Des cambrioleurs. Des monte-en-l'air. Des voleurs.

Oh... oui, oui. Protection. On n'est jamais assez prudent de nos jours, euh, pas vrai ?

Tout à fait exact, l'ami. J'en ai de chaque modèle à la maison.

Quoi ?

Je vous chambre, mon pote. Je me moque. Une petite blague.

Oh. Ouais.

Alors, qu'est-ce qui vous ferait plaisir ? Personnellement, je pense que vous devriez prendre ce 357. Poids correct. Bonne précision. Coefficient d'efficacité impeccable. Vous atteignez le mec, où que ce soit, il bouge plus. Ça fait pas un pli. Tenez, essayez-le.

Oh, je ne —

Hé, il est pas chargé. Allez, je suis fou, pas stupide. Du calme. Tenez. Que vous le sentiez dans votre main. Ouais, c'est cela.

Oh, c'est lourd. Je ne pensais pas que les armes à feu étaient si lourdes.

Ouais, ça a l'air tout léger dans les films, hein ? Quand on les voit courir en tirant sur tout ce qui bouge.

Ouais...

Vous vous habituerez au poids. Je suppose que vous allez l'emporter au stand de tir et vous entraîner à tirer avec —

Oh oui —

À ce propos, il va vous falloir un kit de nettoyage. Important de garder votre arme nettoyée et huilée. Z'avez pas envie qu'elle vous pète au visage.

Oh mon dieu, non. Certainement pas. Oh non, non.

Z'avez pas d'inquiétude à avoir sur ce que vous achetez ici. Tout est garanti. Les armes que vous achèterez ici sont garanties sans le moindre défaut. Allez-y, vérifiez tout. Imaginez qu'on vous colle ce truc sous le nez. Vous feriez dans votre froc, non ?

Plus je la regarde plus elle devient grosse.

Allez-y, braquez-la devant vous et pressez la détente plusieurs fois.

Ça ne marche pas, j'arrive pas à appuyer dessus.

Vous avez laissé la sûreté.

Sûreté ?

Ouais. Ah ah, vous êtes vraiment un novice. Regardez, vous voyez ce truc, c'est la sûreté, pour pas que le coup parte accidentellement. Faut la rabattre comme ça.

Oh, je vois. Mais y a pas un mode d'emploi qui va avec, je veux dire comment je saurai quoi faire ?

Je vais vous passer des schémas et un manuel, vous inquiétez pas. Avec le kit de nettoyage. Mais pensez bien à aller au stand de tir comme je vous l'ai dit.

Oh oui. Bien sûr. Pas envie qu'il arrive un accident.

Exact. Bon, je suppose que vous voulez une boîte de munitions avec ça.

Je crois que oui, si vous le dites.

Pas très utile sinon, hein ?

Pas très.

Entendu, laissez-moi remplir ce formulaire pour que vous ayez une autorisation. J'entre l'information dans l'ordinateur et on aura le feu vert avant que j'aie fini d'emballer ce truc. Le système est génial maintenant, plus de période d'attente. Fait une recherche sur vous en un clin d'œil. Sauf si vous êtes un ex-taulard ou un meurtrier en cavale ou je sais quoi.

Non, pas de problème de ce —

Bon sang, mais ça veut dire quoi cette histoire ?

Quelque chose ne va pas ?

C'est le système. J'arrive pas à rentrer les données. Laissez-moi passer un coup de fil…

Alors, qu'est-ce qui cloche ? Ils ont dit quoi ?

Il y a une sorte de pépin avec le logiciel. C'est nouveau et je suppose qu'ils ont pas encore aplani tous les reliefs. J'ai peur que vous deviez attendre quelques jours avant qu'ils aient réglé le problème.

Quelques jours ?

Je vous téléphonerai. À ce numéro, c'est bien ça ?

Quoi ??? Oh, ouais, c'est mon numéro. Mais y a pas un autre moyen ? Je peux pas aller au poste de police ?

Ça servira à rien. C'est le même système et il plante.

Oh…

Hé, tout va bien. Prenez pas cet air abattu. La paperasse sera prête dès qu'on aura l'accord et tout ce que vous aurez à faire c'est de venir chercher votre arme ici ; hé, tout va bien l'ami. Allez, vous laissez pas abattre. On dirait que vous venez de perdre votre meilleur ami ou je ne sais quoi. C'est juste l'affaire de deux ou trois jours. Hé, si vous vous faites cambrioler avant que je reçoive l'autorisation, je vous filerai l'arme gratis. Ça vous va ?

C'est juste que je pensais…

Et me voilà ici à présent à attendre. Le système pourri ne fonctionne pas. Toujours le système. Impossible d'y échapper. Cette saleté de vie merdique. Veut juste me torturer. Je trouve enfin un but dans ma vie et ils font tout capoter. Me laissent même pas me suicider bon dieu de merde. Quelle sorte de folie est-ce là ? Ils continuent de vous presser jusqu'à ce qu'il reste rien. Ce monde atroce ne cesse de rapetisser jusqu'à ce que vous vous retrouviez dans un putain de placard, enfermé eh merde. Une vraie histoire d'horreur. Enterré vivant. À entendre le moindre grain de terre tomber sur votre cercueil, battre dans vos oreilles, votre tête et tout le long de votre corps jusqu'aux orteils puis ça remonte, bam, bam… et vous grattez… vous grattez la planche en bois, un arbre mort, essayez de sortir bon dieu, comment peuvent-ils vous faire ça ? Vous imaginez ce que c'est d'être enfermé dans un cercueil avec une tonne de terre au-dessus de vous, et vous qui grattez le bois? L'impression que des pics à glace vous rentrent dans les oreilles et les yeux, de longs pics fins de glace pure eh merde combien de temps ça va leur prendre pour envoyer l'autorisation? Ces connards avec leurs systèmes corrompus. Leurs erreurs les dérangent jamais. C'est toujours nous qui devons payer. Peu importe ce qu'ils font ils s'en sortent et nous on doit ramasser les morceaux et payer leurs factures. Ils nous rendent la vie insupportable et ensuite ils bousillent leur système pour pas que vous puissiez vous suicider. L'Inquisition ne meurt jamais. J'en arrive enfin à ce stade où j'ai un but, un projet, je sais que je peux fourrer un flingue dans ma bouche et presser la détente, je trouve une arme et ils me font ce coup-là. MERDE. MERDE!!!! D'abord ils vous rendent la vie impossible, puis ils vous empêchent de mourir. Attendre. Ouais, bien sûr, attendre c'est tout. Rester là à laisser l'air rentrer en force dans vos poumons. Si seulement je pouvais juste arrêter de respirer, mais non, ça serait trop facile. Fumiers, salopards! C'est eux qui devraient mourir. C'est contre eux que je devrais retourner mon flingue. Peut-être un de ces automatiques. Les faucher, comme dans les films. Ouais… ils pourraient jamais remonter jusqu'à moi. Pas de lien. Pas de messages, pas d'avertissements, et certainement pas de courrier adressé aux journaux. Pas de déclaration d'intention. Juste une tuerie en apparence arbitraire. Je comprends vraiment ces employés des postes qui pètent les plombs et se mettent à flinguer leurs collègues. Mais c'est stupide. Ce qui arrive quand la colère vous rend fou. Non, c'est pas comme ça qu'il faut s'y prendre. Calme, posé. D'abord choisir ceux qui sont responsables de ce merdier, bon, ouais, c'est débile. Ils sont des millions dans ce cas. La plupart d'entre eux sont inaccessibles. On peut pas remonter très haut l'échelle. Obligé d'accepter ce simple fait. Mais ils sont nombreux à perpétuer l'oppression et à être accessibles. Ils sont des milliers. Pas de motif. Toujours au hasard. Différentes organisations, différentes agences. Différents coins du pays. Un dans la colonne A et un dans la colonne B. Visiblement peux pas utiliser la même arme. Sauf peut-être pour quelques-uns dans le même coin… comme là-bas sur la côte. Les laisser se concentrer sur une région évidente pendant que je m'occuperai du reste du pays, en utilisant différents moyens d'éliminer la vermine. Mieux vaut commencer par le ministère des Anciens Combattants. Flinguer un ou deux de ces fumiers. Sans fioritures. Juste exploser leurs têtes pourries. Bam ! Juste 3 ou 4. Bon… peut-être une demi-douzaine, ce genre. Ils sauront qu'un seul type les a tous tués et ils feront jamais le lien avec un président de banque ou un P-DG ou un flic de campagne. Peux utiliser plusieurs armes. Et des couteaux. Des armes à feu. Des garrots. Des explosifs. Il paraît qu'on peut apprendre à fabriquer des bombes sur Internet. Et des poisons. Des armes biologiques. Contaminer une seringue et piquer un type dans la foule. Ou un truc genre arme à air comprimé. Comme les vieux fusils à fléchettes. Un ressort puissant dans une fume-cigarette. Les atteindre à la nuque en passant. Ils se gratteront sûrement la zone comme s'ils avaient été piqués par un insecte et feront tomber la minuscule fléchette et il n'y aura aucune preuve. Ils se retrouveraient tout d'un coup avec un virus mortel et mourraient de cause naturelle. Pas trop à la fois. Rien de voyant. E.coli. Salmonelle. Ce genre de choses et pas dans le même coin. Un dans l'Oregon. En Floride. Ouais. La Floride c'est bien pour les explosions. Toujours des bateaux qui prennent feu et qui explosent. Des accidents dus à l'alcool. Ou les Cubains, pro ou anti-Castro. Et les Colombiens. Ces saletés de dealers passent leur temps à s'entretuer. Assez facile de faire passer ça pour un règlement de comptes du milieu. Combien de temps ça me prendrait pour apprendre à faire un pain de plastic? Ai sûrement pas besoin de tonnes d'explosifs comme ces fumiers à Oklahoma City. Ou des lettres piégées. Peux sûrement trouver le moyen d'envoyer des colis piégés. Rien de compliqué. Dans une caisse en bois. Impossible à détecter. Pas de précipitation. Un ici, un là. Ai largement le temps. Peux même me faire quelques mafiosi. Donner l'impression que c'était un autre mafioso. Déclencher une guerre et laisser ces basanés s'entretuer. Devrait être simple. Commencer par le ministère des Anciens Combattants. C'est bourré de connards qui méritent de mourir. Mais les tuer c'est trop bon pour certains d'entre eux. On devrait les torturer comme ils ont torturé des millions de types démunis. Bon sang, quelle bande de salopards immondes. Mieux vaut commencer par la côte. Inutile qu'ils viennent fouiner par ici. Agréable rien que d'y penser.

Je l'ai, enfin. Il a tenu sa parole, avait dit que ça prendrait que quelques jours, et il a eu raison. Hmm... quelques jours... Des jours miraculeux... voire mystiques. Tant de choses ont changé durant ces jours. Vraiment extraordinaire... le changement... oui, absolument mystique et miraculeux. J'aurais descendu la mauvaise personne. Me venger des vrais coupables en me suicidant et en les accusant c'est de la pure folie. Me suicider équivaut à tuer... l'exécution d'un individu innocent... au mieux le meurtre accidentel d'un spectateur innocent. Je ne suis certainement pas le genre à avoir besoin de tuer juste parce que je suis incapable de trouver un sens à ma vie. Incroyable l'extraordinaire changement survenu en quelques jours. Remarquable. Je ne pense pas avoir encore perçu pleinement l'amplitude du changement. Me faudra un peu de temps pour l'assimiler totalement, pour comprendre clairement le désespoir dans lequel j'étais. Peut-être même qu'avec le temps ça me semblera aussi simple que ça l'est maintenant: ma vie n'avait pas de sens. Jusqu'où peuvent vous emmener l'argent, les voitures, les maisons et tous les autres jouets ? Il doit bien exister quelque chose d'important dans la vie d'une personne, une raison de se lever, de se laver, de s'habiller, de manger, de regarder autour de soi, de se mêler aux gens, de faire ce qu'il y a à faire. Une personne doit contribuer au monde d'une façon ou d'une autre sinon la vie est pire que dénuée de sens... c'est... ouais, je crois que ce n'est rien de plus qu'une farce obscène. Ouais, mais ça fait rigoler qui ? Oui effectivement, le travailleur est digne de son emploi et la paix de l'esprit et la joie de vivre sont les dignes résultats d'une vie passée à servir... une vie bien vécue... Hmmm, oui, oui, effectivement, juste un pépin fortuit dans le système... La vie est vraiment merveilleuse...

Me demande comment on se procure une arme à feu illégale ? Il paraît qu'il y en a des milliers, des centaines de milliers qui se baladent dans les rues. Allez savoir. Ai intérêt à bien maîtriser celle-ci avant de penser à m'en procurer d'autres. Quand je connaîtrai bien celle-ci et que je me sentirai à l'aise avec, je serai sûrement en mesure de dénicher quelques revendeurs d'armes. Je saurai instinctivement où les trouver, ou comment les reconnaître. C'est en général comme ça que les choses marchent. Mais d'abord je dois faire ce qu'a dit ce type et aller dans un stand de tir pour me familiariser avec cette arme. Apprendre à tirer avec, à la démonter et la nettoyer et tout ça. À l'armée les types apprennent à démonter leurs armes les yeux bandés... et à les remonter. Prendre mon temps, c'est tout. Pas me précipiter. Tout le temps. Tout le temps maintenant que je sais quoi faire de mon temps…

Ouais, prendre mon temps a été bénéfique. Assez bonne précision dans le tir. Largement suffisant pour ce que je veux faire. Et je peux démonter ce truc et le remonter les yeux fermés. Faut que je reste posé et calme. Fini de s'exciter et de s'énerver. Le fait est que je ne me sens plus en colère. N'ai plus envie de me suicider, non plus. Maintenant je sais qui a besoin d'y passer, et c'est pas moi. Je vais rester posé et calme… concentré. Ouais, c'est ça le secret, rester concentré et ne pas disperser mes énergies dans la colère. Je vais simplement continuer d'engranger les infos dont j'ai besoin – mon dieu, quel génial outil que l'Internet. On y trouve vraiment tout. Posé et maître de soi… calme.

Mais comme ça serait agréable d'étrangler ce fils de pute de Barnard, qui bosse aux Anciens Combattants, de l'attendre comme ça un soir et de le forcer à quitter la ville en voiture et de lui tordre lentement le cou à ce fumier… oh rien que d'imaginer mes mains autour de sa gorge c'est vraiment jouissif — Non ! Non ! Peux pas me permettre ça. C'est pas censé être une démarche égoïste. Absurde d'aller en prison, ou même de se faire tuer, pour avoir éliminé un parasite comme Barnard. Posé et calme et jamais se faire remarquer. S'il meurt d'un empoisonnement alimentaire comment est-ce qu'on pourrait remonter jusqu'à moi ou m'inculper ? Ne pas laisser de dossier pour la postérité ni même de plans ou de notes. Tout détruire le plus tôt possible. Pas de manifestes. Voilà ce qui s'appelle de la folie pure. Comme si descendre une ou deux personnes allait changer les fondations/la structure de base de ce monde. Pas une croisade pour l'amélioration de l'humanité... Ach, l'amélioration de l'humanité. Quelle bêtise... quelle ânerie. Tous des animaux. Certains plus gros que d'autres, c'est tout. Mais tout le monde cherche toujours à bousculer quelqu'un, quelqu'un de situé plus bas dans la chaîne alimentaire. Quelqu'un auprès duquel se sentir supérieur. Et si vous n'y arrivez pas au boulot alors faites-le chez vous. C'est ça qui est beau dans le fait d'avoir une famille. Une femme à gifler, des gamins à punir et fouetter. On dirait que la seule raison pour laquelle les gens se marient c'est pour avoir quelqu'un à maltraiter en privé, à l'abri des regards. Surtout ces chrétiens ! Mince alors, ce qu'ils aiment punir. Flanquer des coups de fouet ! Ouais, faisons la fête. Oubliez pas d'emmener les gosses

et voilà que je recommence. Très mauvais. Surtout pas en faire une affaire personnelle. Pas de causes. Juste une façon calme, simple et satisfaisante de me venger de ce monde qui m'étouffe, m'écrase, tente d'anéantir mon esprit. Mais ils y sont pas arrivés et ils y arriveront pas. Ils ont failli. Oh ça oui ils ont failli. Étais tout prêt à me mettre un flingue dans la bouche et à presser la détente. Mais y a eu un pépin informatique. C'est pas beau, ça? Un stupide pépin et j'ai dû attendre quelques jours et alors j'ai compris mes erreurs, j'ai vu clairement que j'allais tuer la mauvaise personne. C'est pas moi qui mérite le coup de grâce, c'est eux. Marrant comme les choses peuvent changer en un clin d'œil.

… ouais, E.coli c'est la meilleure solution. Les autres empoisonnements alimentaires trop difficiles et plutôt spécialisés. Et personne pensera que c'était voulu, pas avec tous les cas qu'on a eus ces dernières années… et ça devrait être facile… *Consommer de la viande, surtout du steak haché, qui n'a pas été cuit suffisamment peut tuer. E.coli peut causer une infection. La viande contaminée a l'air normal et sent comme les autres. Bien que le nombre d'organismes requis pour entraîner la maladie ne soit pas connu, on suppose qu'il est très peu élevé.*

Très peu élevé. Me demande si la CIA s'en est déjà servi à fin… d'élimination? Ils auraient peut-être dû essayer ça plutôt que les cigares avec Castro. On n'aurait pas à vivre dans la peur constante d'être envahi par les forces du communisme qui se trouvent à moins de cent cinquante kilomètres… Nous les combattrons sur les plages, nous les combattrons dans les rues, nous les combattrons dans la réserve de livres — ZUT, on a merdé, là. Oh et puis, tant qu'ils débarquent pas dans Wall Street tout va bien. Quels idiots… on aurait pu faire un procès aux fabricants de cigares cubains et se faire des milliards de dollars. Me demande si un avocat zélé y a déjà pensé et attend de nous des « relations normales ». Des relations normales ? Suppose que ça veut dire un face à face. Beurk… ça m'a l'air dégoûtant. Tous ces poils, cette haleine parfumée à l'ail… plutôt dégoûtant… pour dire les choses comme elles sont. Assez, assez. Revenons à nos moutons.

Bon… E.coli c'est la solution, et la viande avariée c'est une source. Je devrais pouvoir entrer dans un McDo et jouer à la roulette russe avec les hamburgers. Ça vient peut-être de là l'attirance pour les fast-foods, l'excitation, la montée d'adrénaline parce qu'on sait pas si c'est le dernier repas — d'accord, d'accord, on se calme. Surfons encore un peu sur le Net et voyons voir…

Voilà qui est intéressant… *jus de pomme non pasteurisé*… jus de pomme non pasteurisé. Hmmm… me demande ce qui est préférable ???? Lequel ??? Eh puis merde, prenons les deux. J'ai qu'à faire un petit jus de pomme et ajouter dedans un peu de steak haché, le laisser au soleil et attendre que ça germe. Ouais… c'est plutôt simple… Hmmm, comment je saurai si la bactérie s'est vraiment développée ? Bonne question. Oh non, un truc que je peux pas faire c'est le tester sur un petit chat ou chien errant. Ou n'importe quel animal, en fait… Non, pas même une souris ou un rat. Si je pouvais capturer un de ces horribles rats d'égout, mais comment diable s'y prendre ? Et il est hors de question que j'aille dans un magasin pour en acheter un, avec la cage et tout. Bon sang, lui filer un peu de steak et de jus de pomme pour voir ce qui se passe ? Non merci, je suis pas une goule. Si j'en étais capable j'aurais qu'à me trouver un boulot dans un labo pharmaceutique et torturer des lapins et des souris et des singes et dieu sait combien d'autres créatures. Comment peuvent-ils faire ça ? Leur trancher les cordes vocales pour pas qu'on les entende hurler de douleur et continuer de les torturer puis rentrer chez eux le soir, manger, se détendre, se lever le matin et recommencer. Jour après jour. Je suppose qu'ils « font juste leur boulot ». Peut-être que je vais devoir le laisser mariner un moment puis voir si ça fait l'affaire. Je sais pas, ça me semble pas une approche très futée. Ça pourrait s'éterniser. Il doit bien y avoir une solution autre que faire du mal à un pauvre petit rongeur, il — un instant. Tous ces articles que j'ai lus concernant de l'eau potable contaminée, ils étaient visiblement en mesure de tester l'eau donc il doit exister des kits disponibles dans le commerce. Les gens passent leur temps à tester des trucs. Retournons donc sur le Net pour voir ce qu'on a… Ouais… ouais, ça m'a l'air intéressant… non, pas celui-ci, pas ce système où il faut envoyer un échantillon avec vos nom et adresse. Allez savoir ce que prévoit la loi. Ils récupèrent un échantillon avec du E.coli et du coup ils doivent avertir le ministère de la Santé ou ce genre. Ouais, et voilà qu'une agence gouvernementale intervient. Je vois déjà la scène, des types habillés en noir, le visage caché derrière des masques noirs et des lunettes de soleil, en train de frapper à ma porte. Qui est là ? L'escadron de la mort E.coli. Oh, entrez donc. Ouais, bien sûr, ça serait une bonne façon de rester anonyme. Laissons tomber ces firmes. Apparemment le meilleur kit est le WTK, « garanti détecter les eaux contaminées, y compris les bactéries »… Ouais… ça devrait valoir le coup. Très bien, passons commande et finissons-en. Ce mélange jus de pomme steak haché devrait être à point le temps que je reçoive leur machin. Je peux peut-être vendre l'idée à McDonald. Un nouveau Macsteakpomme… Hé, un instant, ils peuvent le congeler et le vendre comme « sorbet minute ». Vente assurée, une idée à un million de dollar. Dieu seul sait où ça peut nous mener — Assez ! Assez ! Les choses frivoles, ça sera pour plus tard, quand le boulot aura été fait. Encore pas mal de travail à abattre. Je prépare une culture… puis je dois la transporter et livrer le colis… pour ainsi dire. Dois trouver un moyen sûr de l'acheminer d'un endroit à l'autre. Manifestement ça sera pas sorcier. Surtout s'il est virulent. Et ça devrait être sacrément plus virulent qu'un hamburger ou un verre de jus de pomme. Et on peut pas le détecter au goût. Manifestement. Et comme manifestement l'empoisonnement alimentaire doit provenir de la nourriture, le meilleur « système de transmission » est la nourriture… le repas de midi. D'accord, faut que je mette un peu d'ordre là-dedans. Dois m'assurer qu'il mange dans ce café tous les jours. C'est pas parce que je l'ai aperçu là-dedans un jour devant le buffet des salades que ça veut dire qu'il y va tous les jours. Faut que je vérifie ça, que je sois absolument certain. Peux pas savoir comment déposer un petit additif alimentaire sans savoir exactement où il sera. Mais pour l'instant je peux établir un plan provisoire basé sur la forte possibilité qu'il mange là au moins une fois par semaine. Je me souviens qu'il était devant les salades… ce qui n'a peut-être pas trop d'importance. L'image que j'ai clairement à l'esprit c'est un grand container de soda… ouais, avec des glaçons qui tintent dedans… du soda bien glacé… le « réceptacle » logique. Qu'il ingurgite une bonne dose de soda et d'E.c. dans sa petite bedaine chaude et ça devrait le requinquer à merveille. Oh oui oh que oui. D'accord, pas de digression, pas maintenant. Rester concentré. Dois faire passer la « culture » de là à là. Entendu… maintenant, les détails. Si j'arrive vraiment à développer la bactérie dans mon petit potage, elle sera extrêmement virulente… ouais, donc il en faudra pas des masses. Tout ce que je dois faire c'est en apporter trente ou cinquante centilitres. Ça devrait faire l'affaire. Même moins ça suffira… ouais, mais ça devrait être aussi facile de mettre cinquante centilitres dans ce soda que trente, et plus on est de centilitres plus on s'amuse… Mais supposons qu'il en renverse à côté ou sur moi ??? Merde ! J'vais pas mettre des gants de chirurgien et une blouse stérile, ça — un instant, mais de quoi je parle, là ? Ça ne me fera rien du tout si ça touche ma peau bon sang. Il faut que ça soit ingéré. N'importe quel vieux flacon avec un bouchon hermétique suffira du moment qu'il est assez petit pour tenir dans une main et que je peux en verser le contenu dans sa tasse sans me faire remarquer. Ouais, c'est important ça. Bon peut-être pas. Même si quelqu'un me remarque avec un flacon qui c'est qui va faire le lien avec quelqu'un qui meurt d'un empoisonnement à l'E.coli ? Même s'il en entend parler. Non, non, le coup de la lettre volée. Agir tout simplement comme n'importe qui d'autre ici et personne ne se souviendra de rien. Une petite diversion fera l'affaire. Ouais, tendre la main dans une direction pendant que l'autre main verse l'E.c dans la tasse. Mieux vaut s'entraîner. Ouais, être capable de le faire avec les yeux fermés comme pour démonter une arme et la remonter les yeux bandés. Entraîner le corps. Si l'esprit se bloque sous le coup de la peur le corps peut quand même faire ce qu'il a à faire. Ouais... Entendu. Bon, où j'en suis ? Un flacon de cinquante centilitres. N'importe quel flacon. Qu'on verra pas, espérons-le, donc un truc qui tient facilement dans la paume de ma main et est facile à ouvrir tout en restant caché. En fait, n'importe quel vieux flacon fera l'affaire. Faut que ça reste simple. Rien de fantaisiste. Bon, où j'en suis ? Je laisse se développer ma culture et quand le kit arrive elle devrait être au poil. Et je saurai ce qu'il fiche et tout sera prêt.

Entre-temps mieux vaux se mettre au boulot. Marrant, j'ai gagné ma vie avec les ordinateurs pendant des années, et je les adore, mais c'est la première fois que je me suis autant marré. Ça va tellement plus loin que de gagner sa vie. Ça rend vraiment la vie digne d'être vécue. Oh je t'aime, je t'aime tant, ma petite chérie. C'était quoi déjà cette vieille pub pour le téléphone, un truc du genre, Tendez la main et parlez-lui, ou dites-leur que vous les aimez, ce genre-là ? Passons. Mais nous allons tendre la main et tuer quelqu'un. Oh que oui. Quelqu'un qui le mérite vraiment… qui en a besoin. Ou en tout cas le reste du monde en a besoin. Bon, assez là-dessus. Se détendre, c'est tout, abattre un peu de boulot, et demain on passera à la prochaine étape.

… bon, le truc que je dois pas faire c'est me garer sur le parking. Dieu seul sait combien de drames peuvent se produire (dans de beaux drames ? ah ah…) et puis trop facile de boucler les issues, même s'il devrait y avoir aucune raison à cela, je vais pas entrer là-dedans les bras chargés d'armes automatiques. C'est un bâtiment administratif, pas un lycée. Mais il — arrêtons d'être négatif. C'est juste une mission de reconnaissance, une simple étude de terrain. Ça paraît le meilleur endroit pour se garer, mais je pense que je ferai le tour du block, m'assurerai que je connais bien le coin, inutile de présumer de la situation… Pas trop de circulation dans les parages, un trajet facile. Mais je ne cherche pas à prendre la fuite après un braquage de banque. Juste prendre mes repères, c'est tout, prendre mes repères dans le quartier. Pas la peine de la jouer trop James Bond ou théâtral dans cette affaire. Franchement pas besoin de ça. Pas de flics ou de voleurs ou d'espions venus du froid. Pas question de fusillade avec les flics et de se retrouver à la une des journaux…

Entendu, c'est le meilleur endroit où se garer. Accès facile sur les lieux. Ouais… bien… Bon, c'est parti, une simple promenade le long de ce hideux bâtiment administratif. Je suppose que tous les gouvernements, à tous les niveaux, tiennent à ce que vous sachiez que vous êtes dans un endroit qui leur appartient en le rendant le plus moche possible. C'est incroyable, dès que vous sortez d'une zone administrative les rues sont bordées d'arbres, ombragées, les oiseaux chantent, tout a l'air paisible, calme, puis encore un pas et vous approchez des abîmes infernaux. Il devrait y avoir un énorme panneau : Abandonnez tout espoir vous qui entrez ici. Non, non, non, pas me lancer là-dedans pour l'instant. Se rendre tranquillement jusqu'au café, tout remarquer, le moindre carrefour, croisement, tous les itinéraires possibles jusqu'à la voiture. Il est quelle heure ??? 12 h 10. Une bonne heure. Déjeune sans doute à la même heure tous les jours, donc s'il y est maintenant nous le saurons.

Mince, il fait vraiment frais là-dedans. Suppose qu'ils ont plus de clients comme ça. Bon, il est pas encore là... Mieux vaut attendre quelques minutes pour être sûr qu'il se pointe pas bientôt... ouais, j'ai pas pensé à ça. Ils étalent peut-être l'heure du déjeuner par tranches d'une demi-heure. Mais ça ne doit pas le concerner, vu qu'il est le chef de tout ce fumeux bordel. Il fait sûrement ce qu'il veut à son boulot tout comme avec les anciens combattants... les emmerde. Doit sûrement sortir le plus tard possible pour faire passer plus vite l'après-midi. Doit se reposer après une dure journée passée à détruire des vies. Hé, faut pas dire du mal comme ça, c'est pas aussi facile que ça en a l'air d'être une ordure – Assez. Reste concentré ! Si tu y arrives pas maintenant ça sera quoi le grand jour ? C'est le moment d'aller se balader. Mauvaise idée de traîner là à se faire remarquer. Profiter du temps qui reste pour inspecter le reste du quartier. Pas envie d'avoir de mauvaises surprises.

La vache, quelle chaleur. Tout le monde essaie de rester dans l'étroite bande d'ombre au pied du bâtiment. Étonnant comme ils ont peur du soleil. Ça entre et ça sort. Et alors. On s'affole pas. Me demande si ces barrières sont vraiment utiles ? Peut pas garer un véhicule près du bâtiment, mais je suppose qu'un type seul peut quand même foutre un sacré bordel. Mais c'est pas une resucée d'Oklahoma City. Bon sang, c'était vraiment cinglé, ça. Tous ces gens... des enfants aussi... des gens qui n'avaient rien à voir avec ce qui le foutait en rogne. Stupidité aveugle, sanguinaire. Insensible au possible. Même pas fichu d'éliminer des personnes un tant soit peu responsables de ce qui le mettait en rogne. C'est le problème de la haine aveugle... elle cause sa propre perte. Tous ces gens morts, lui qui meurt, et rien n'est accompli. Du sentimentalisme. Un assassin. Faut rester calme et détaché. Et demeurer anonyme. Pas de plans égoïstes, juste atteindre les résultats désirés. Me demande combien de personnes ici se tirent avec des quantités astronomiques d'argent sur un compte suisse, ou une banque off-shore, qui ont tranquillement volé des millions puis juste disparu de la circulation. Anonyme. Oui... Ah ah, ouais, la postérité. Je pense qu'il existe des gens tellement aux abois, qui se sentent tellement insignifiants, qu'ils seraient prêts à faire n'importe quoi pour se tailler une place dans l'histoire. Le truc c'est de faire du bon boulot et que ça soit la seule récompense. Pas besoin de poser devant les caméras. Pas de déclarations fanatiques de justice ou le genre de conneries qu'éructent ces tarés. Qu'ils crèvent...

Aaaah, cet air frais est bien agréable. Je crois que j'ai eu un peu chaud en marchant comme ça au soleil... Voyons voir — ouais, il est là, ce bon vieux Barnard. Salade, Coca et tarte. Je parie que son Coca est sans sucre.

Une assiette d'aliments pour lapins, un Coca light et une belle grosse part de tarte aux pommes. Bien étudié, surveille ses calories… voyons gel genre de gobelet il prend… hmmmm, se servir un verre d'eau, rester un petit moment, puis, comme on dit à Bellevue, bonjour au revoir.

Bon, si j'avais déposé mon petit baiser mortel dans son Coca – hé, ça me plaît ça – c'est le trajet que je prendrais pour revenir à la voiture. D'un pas tranquille, en sirotant mon verre d'eau, en me fondant dans le voisinage, un simple employé qui retourne à son véhicule… Ouais… revenir demain et recommencer. M'habituer à ce trajet. Le faire les yeux fermés. Sauf la partie en voiture. D'accord, d'accord, c'est bien joli de rigoler mais faut que j'arrête avec ces blagues stupides. Dois rester concentré. Concentré…

Bon, la clé dans le démarreur, la ceinture de sécurité — merde, ça serait pas quelque chose, ça, se faire arrêter par les flics pour ne pas avoir mis sa ceinture, paniquer, et se livrer. C'est déjà arrivé, j'en suis sûr. Le truc c'est de se comporter normalement, rien qui puisse attirer l'attention. Passer la première, s'éloigner de la bordure du trottoir, se fondre dans le trafic, une voiture parmi d'autres voitures… et rentrer à la maison…

Donc, plutôt simple. Recommencer demain. Ouais, maintenant faut que je m'entraîne à lâcher la culture dans son Coca. Voyons voir... ouais, la table est à peu près à la même hauteur que les barres sur lesquelles on pose les plateaux. Donc, son gobelet devrait être à peu près... ici... ouais, c'est en gros ça, et moi je me tiendrai à côté de lui et je tendrai la main comme ça l'autre sera cachée et je lâche le truc rapidement. Ouais, c'était assez facile. Personne verra ce petit flacon dans ma main... Hmmm, il est possible que son gobelet soit tellement rempli qu'il y ait plus de place... ouais, important. Il me semble qu'il prend toujours une gorgée après avoir rempli son gobelet, mais mieux vaut s'en assurer demain. Peux pas laisser un petit détail comme ça tout gâcher. Non. De toute façon, en attendant, je peux continuer à m'entraîner à lâcher la culture dans son gobelet. Paraît simple jusque-là. Ai pas renversé une goutte. Personne peut voir le flacon, c'est sûr — devrais entrer là-dedans avec pour vérifier que ça se renverse pas... jetons un coup d'œil dans le miroir... voyons voir... Rien... quel que soit l'angle, rien... que dalle, rien. Hmmm, bonne idée, apporter demain le flacon plein d'eau du robinet pour voir si j'ai raison. Ouais, faire ça.

Bien, se garer ici. On dirait qu'il y a toujours des places, tout comme hier. Parfait, la marche à suivre maintenant.

... Ouais, j'avais raison, il prend tout de suite une gorgée. Avais remarqué plus de trucs que je le croyais. Bon, c'est le moment de se concentrer… me poster derrière lui dans la file, faire glisser mon plateau soigneusement et attendre… bien, maintenant tendre la main d'un côté et verser… s'éloigner… reposer le plateau sur la pile, s'en aller lentement, sans précipitation, retourner bosser mais qui donc est pressé de retourner bosser, hein, juste passer la porte… même démarche, même routine, même marche à suivre…

bon sang, rien qu'un essai à vide et j'ai le cœur qui s'emballe. Tout s'est passé parfaitement. Aucun problème, pas une goutte de renversée. Détails, détails. Faire attention aux détails. Tout est dans les détails. Ouais… t'as raison, ça va marcher. Je le sens dans mes os. Ça va marcher. Continuer de s'entraîner. Pas d'autosatisfaction. Le temps que la culture soit prête, je serai réglé comme un coucou suisse… ou une voiture de course. Toujours les détails.

Bon, d'après ce kit y a assez d'E.coli dans la culture pour s'occuper de la moitié de la ville. Bon, y a aucune raison pour pas s'occuper de Barnard demain.

Une erreur commise par quelqu'un d'autre m'a donné le temps de voir la mienne. La Providence ?

Bon, c'est l'heure d'y aller. J'ai largement surveillé ce connard de Barnard. C'est le moment de réviser, point par point. La culture est virulente, archiprête.

Le flacon est prêt. Je sais où me garer. Je peux vider mon flacon dans son Coca les yeux fermés. Peux faire le trajet entre la salle et la voiture avec les yeux fermés. Tout a été testé et retesté. Je suis prêt. Autant agir vite. Ai pas envie de trop répéter et du coup de devenir rigide et inflexible. Dois rester détendu et concentré sur le processus. Fascinant… absolument fascinant. L'impression que très bientôt je serai tellement concentré sur le processus que je finirai par en faire partie et me laisserai aller dans l'éther et deviendrai une partie de chaque atome, chaque proton et quark et résonnerai dans l'univers… l'univers entier, entier… Qui sait, peut-être qu'un jour ça va s'arrêter. Oh, quelle sublime pensée, flotter ainsi, affranchi du corps et de l'esprit, juste une pulsation dans l'espace… mais ça serait *ma* pulsation, *ma* conscience, conscience de liberté, libre de l'étau oppressant qui m'a écrasé toute ma vie et des types comme Barnard qui ne cessent de me frustrer, de me torturer, me laissent avancer jusqu'à un certain point puis me claquent la porte au visage, m'obligent à lutter juste pour prouver que je mérite mon pain quotidien, bon sang quelles brutes ces types, pire que ces mafiosi, au moins eux ce sont franchement des voleurs et des assassins, mais ces types ils font toujours semblant d'être votre ami, d'être là pour vous aider – nous aider ! nous aider à devenir fous. Ils savent que je mérite ces avantages, et ils continuent de me les refuser sans la moindre raison, aucune raison justifiable et je dois prouver sans cesse que je — ahhh, et puis merde. Je suis las de toute cette folie. Demain je lui donnerai un petit avant-goût de ce qu'il a servi. Après demain il ne me frustrera plus. Et moi je ferai pas d'impairs. Maintenant que j'ai un vrai but dans la vie je n'ai pas à craindre que mon esprit perde sa concentration. C'est presque trop facile. Il ne me connaît ni d'Ève ni d'Adam. Il ne connaît même pas mon nom. Tout ce qu'il sait c'est qu'il doit signer un autre document qui refuse des avantages. Peut-être devrais-je le bousculer et sourire – non, non, pas de ça. Pas de bravade, pas de jeux stupides. Rester concentré et demeurer le plus discret, le plus anonyme possible. Rien qui sorte de l'ordinaire. Ne pas croire que c'est du tout cuit. Je me demande comment ça sera. Je peux sentir mon estomac se contracter rien qu'en y pensant. J'ai jamais tué quelqu'un de cette façon, même si c'est pas vraiment tuer, je veux dire c'est pas différent d'une guerre, mais ça n'a rien à voir non plus avec un tueur à gages, c'est pas comme si j'étais une sorte d'assassin professionnel. Pas du tout. Simplement un porte-parole des opprimés, un simple canal pour un micro-organisme... ouais, c'est cela, ouais, un simple vecteur, un ambassadeur pour ainsi dire. Mais est-ce que je vais être capable de le faire ? Bon dieu, mes entrailles grognent rien que d'y penser. Je vais bien m'en sortir. C'est lui ou moi. On en est là, c'est lui ou moi, et plutôt lui. Non, je m'en fiche qu'il ait une famille. Ils méritent ce qui leur arrive. Ils doivent être comme lui, ou le deviendront.

Il s'en fiche lui qu'on ait des familles ou pas, si nos enfants souffrent parce qu'il a du plaisir à nous torturer, du plaisir à refuser nos exigences. La plus grande joie de sa vie c'est de s'assurer qu'on n'obtient pas ce pour quoi on a travaillé, ce qu'on mérite. Je le vois très bien rentrer chez lui le soir et raconter à sa femme et à ses enfants combien de demandes de pension d'invalidité il a refusées à des anciens combattants aujourd'hui, et comme ils sont fiers de lui. Ça non, je les plains pas plus qu'ils nous plaignent. Dans un sens on peut dire que je fais juste ce qu'il a fait pendant toutes ces années, je rejette sa demande. Ha ha, elle est bien bonne celle-là, ça me plaît, rejeter sa demande.

Assez. Il faut que j'arrête tout ce radotage et ces digressions. Besoin de me détendre, de passer une bonne nuit de sommeil. J'ai vraiment pas envie d'être dans les vapes demain. Dois avoir toute ma tête. Donc… un bon bain chaud, un verre de lait chaud et au lit.

L'homme est allongé sur le côté, dos à la fenêtre, et la lumière n'a pas encore pu franchir ses yeux fermés, seule une oreille et une partie de la joue sont visibles aussi on ne peut pas trop savoir, sûrement pas d'après l'expression qu'on pourrait lire sur son visage, si son sommeil est paisible et dépourvu de rêves, il semble cependant qu'il ne puisse pas avoir de cauchemars, même si sa décision de la veille au soir, et les événements qui l'attendent aujourd'hui, sont, à tout le moins, très importants.

Combien de fois la question Est-ce que je peux le tuer se retourne-t-elle dans son esprit? Peut-il, dans la sécurité du sommeil, répondre: Ce n'est pas moi qui le tue, c'est E.coli? Son visage n'est toujours pas visible, mais des contractions significatives se produisent dans son corps, qu'un œil non averti ne remarquerait peut-être pas, mais qui sont cependant prononcées, des contractions qui indiquent que tout n'est pas paisible, qu'il y a une activité de plus en plus grande dans son esprit, une activité que de nombreuses personnes peuvent connaître. La chambre est de plus en plus claire et la lumière se glisse à travers ses paupières et bientôt il se réveillera et ne se préoccupera pas de ce qui a pu se passer pendant qu'il dormait mais se concentrera sur la journée qui l'attend, une journée qui sera importante quel que soit ce qu'il décide de faire.

M'a tout l'air de faire beau dehors. Plein de lumière à l'intérieur. La sens sur mes paupières. Me sens un peu lourd. Garde les yeux fermés. Bon… faudra bien les ouvrir tôt ou tard. J'ai tout le temps. Toute la matinée. Me sens un peu fatigué, un peu mou. Une douche va arranger ça. Allez. Ouvrir grands les yeux et se lever.

Et voilà. Mieux vaut aller sous la douche.

Ah la vache, ça fait du bien. Me demande qui a inventé la douche? Un coup de pur génie. Ça vous remet la journée sur pied. On se sent toujours mieux après une douche. Même si on se sent tout pourri en se levant. Toujours. Me sens vraiment bien de toute façon. Juste une autre journée. Je suis surpris d'être aussi détendu, je crois que je m'attendais à être un peu tendu, genre crispé… Je sais pas, peut-être un peu inquiet vu la situation. C'est un grand jour. C'est vraiment un truc important. Mais je me sens pas comme ça. Rien à voir avec le frisson que procure l'improvisation. Beaucoup de travail et de recherches, beaucoup de recherche et de préparation méticuleuse en jeu dans cette entreprise, alors bien sûr c'est pas surprenant. Je suis détendu. Me poser et apprécier la matinée et économiser mon énergie pour cette après-midi. Oh, je sais très bien ce que je fais, vous pouvez me faire confiance…

Le fait est que c'est extraordinaire à quel point je suis détendu. Dans pas longtemps je vais y aller et remettre le don de dieu à Barnard et lui souhaiter bon appétit, me demande s'il aura mal au bide, oh bon sang je l'espère vraiment. Une petite justice poétique. Au moins ça. Peux pas l'étrangler… bon, pourrai certainement m'en tirer. Les gens se font prendre parce qu'ils sont stupides… ou bons pour l'asile. Ils ne restent pas concentrés. Certains n'ont même pas de plan. Ils aiment juste tuer. Exhiber leur culpabilité. Beaucoup trop d'indices partout. Un truc débile de cinglé qui veut se faire prendre. Ou un lien évident. S'ils cherchent dans leurs dossiers les types qui veulent tuer Barnard, ils en trouveront des milliers, des milliers... des centaines de milliers. Hé, causes naturelles. Aliment contaminé. Impossible de se faire prendre. Pas de crime. Ferais mieux d'y aller tôt. Garer la voiture assez près, pas trop près. Une simple promenade jusqu'au café. Mauvaise idée d'y aller trop tôt. Vous traînez et y en a un qui devient parano et qui appelle la police. La préparation ça paie toujours. Je suppose que c'est pour ça que je suis si détendu. Tout en douceur. Conduire normalement, c'est tout, marcher normalement. Pas la mer à boire. Juste une autre journée.

Circulation normale. La plupart des tarés ont dû rester chez eux aujourd'hui. Ça roule plutôt bien. Se diriger vers l'est à cette heure-ci ça aide. Rouler avec le soleil en face c'est pas marrant. Pas la moindre inquiétude. Ai pas l'impression de devoir surveiller chaque voiture. Juste rester attentif. Rester sur la voie de droite et toujours respecter les priorités. Suis toujours étonné de voir à quel point la plupart des automobilistes sont irréfléchis. Un peu de courtoisie réciproque empêcherait 90 % des accidents. Simplement laisser la priorité à l'autre. Bon sang, on pourrait croire que leur vie dépend d'un simple dépassement. Déboîter en permanence, faire des queues de poisson bon sang pas mettre son clignotant, quoi que vous fassiez ne pas prévenir espèce de pauvre crétin de merde, passer son temps à serpenter, changer dix fois de voie, du joli, peut-être provoquer quelques accidents, voire tuer quelques personnes, mais on s'en fout, la rue est à vous alors vous n'avez qu'à faire ce que vous voulez et quoi que vous fassiez, n'allez pas jusqu'à vous donner la peine de mettre votre clignotant, de grâce, de grâce, je sais que ça demande trop d'énergie alors vous faites pas chier, par pitié, vous emmerdez pas roulez comme bon vous semble et ne mettez jamais votre cligno pauvres connards de merde bon sang la courtoisie ça veut plus rien dire pour ces enfoirés, vous rentrent dedans puis s'éclipsent tranquillement, le doigt dressé vers les cieux, expédier quelques-uns de ces salauds en enfer, bon sang je déteste ces sinistres cons, oh merde, je dois me rabattre pour tourner à gauche, espèce d'enfoiré, pourquoi tu me laisses pas passer triste connard de mes deux oh je les déteste, ils voient bien que j'essaie de me rabattre qu'est-ce que vous croyez que ça veut dire ce clignotant, que ma bagnole a la maladie de Parkinson allez vous faire foutre, je vais rester ici jusqu'à ce que quelqu'un me laisse passer, ils peuvent bien klaxonner tout ce qu'ils veulent j'en ai rien à foutre que derrière ils soient tous coincés je – merci, merci, bon dieu, pourquoi personne s'est bougé une demi-heure plus tôt bon qu'ils aillent tous se faire foutre, putain, ils m'ont complètement bousillé, j'ai la tête qui tourne et on dirait qu'il y a pas d'endroit où se garer dans cette rue à la con, eh merde, qu'est-ce que je vais pouvoir faire me taper cette rue dans les deux sens jusqu'à ce que je trouve une place ou que j'attire l'attention d'un flic, bordel de merde, peux pas me garer sur le parking, peux pas prendre ce risque, dois être capable de rejoindre la voiture et de démarrer, sans me faire coincer dans un putain d'embouteillage sur le parking parce qu'un connard se trompe de sens ou, oh, merci mon dieu, ce type se barre, une place à l'ombre en plus, aucune envie d'avoir une caisse brûlante à force de rester au soleil, pas aujourd'hui, il est quelle heure, oh j'ai plus de vingt minutes oh merde, je me sens super mal juste à cause de ces connards de chauffards, eh merde, où est le flacon, qu'est-ce qui se passe, je l'avais là, oh, le voilà, mieux vaux rester un moment, j'y vois même pas clair eh merde c'est mieux – vais pas me mettre dans tous mes états à cause de ces abrutis, peux pas me le permettre, peux pas repousser, peux pas faire ça, faut que je me détende, oh bon sang, mon putain d'estomac est tout noué et plein de crampes, je crois qu'il faut que j'aille chier, oh non, c'est pas possible, ça me flingue, faut que je bouge, faut que je me dégourdisse les jambes, peux plus rester assis, faut que je bouge, faut que eh merde j'ai failli ouvrir la portière devant cette voiture, bon sang, mon cœur cogne à fond dans ma poitrine et me serre la gorge, c'est dément, je m'en sortais si bien avant que ces connards... faut que je respire, doucement... inspirer expirer... c'est ça... inspirer expirer...

Bon, je peux ouvrir la portière à présent, marcher tranquillement et lentement eh merde, faut que je verrouille cette saloperie de portière. Bien besoin de ça, tiens, je reviens ici et plus de voiture, volée par un de ces voyous. Bon, pas la peine de courir. Tout en douceur. Comme qui dirait flâner jusqu'au café. Respirer lentement, marcher lentement. Rester sur le qui-vive. Juste se balader. Aller retrouver un pote et casser la croûte. Rien de grave. Lentement. La sueur me brûle les yeux. Rester dans l'ombre une minute. Je suis en nage. Comment j'ai pu me mettre dans cet état. Lentement... lentement...

L'homme se tient dans l'ombre d'un immeuble. Un grand immeuble. Qui abrite des milliers de travailleurs. Assez grand pour projeter une ombre qui soulage l'homme, une ombre étirée qui va jusqu'au parterre de fleurs. Il essuie la sueur avec un mouchoir, mais il n'y a pas de brise fraîche alors la sueur ne cesse de se renouveler. Mais elle diminue. Elle ne dégouline pas de son visage, c'est juste de l'humidité qui suinte de ses pores. Il essaie de regarder son corps dans une vitrine pour voir s'il a l'air aussi trempé qu'il le sent. Il n'a pas envie de se faire remarquer aussi sa tentative n'est guère couronnée de succès. Autant qu'il peut s'en rendre compte en s'examinant de profil dans la vitre tout en faisant son possible pour avoir l'air d'examiner le ciel, il donne l'impression d'être sec. Est-ce important? Apparemment il le croit. Il n'a pas envie d'avoir l'air en nage et par conséquent voyant. Il n'oublie pas de surveiller sa respiration, de respirer lentement, de paraître détendu. Il fourre son mouchoir trempé dans sa poche arrière et glisse ses mains dans les poches de devant pour les sécher.

C'est de la plus haute importance. Ce serait folie si jamais le flacon glissait de sa main parce qu'elle est moite. Un fiasco aux proportions monumentales. Il est presque l'heure d'entrer dans le café. Il semble figé dans la chaleur. Il force son corps à remuer, même très peu, puis tourne la tête.

Oh bon dieu, le voilà… il entre dans le café

L'homme est tout raide. D'une rigidité absolue. Une vraie statue. On voit son cœur cogner dans sa poitrine, comme s'il cherchait à s'évader des confins de sa prison. Un moment qui s'éternise. Vraiment. Étrange de voir que les gens continuent de passer, que les oiseaux continuent de voler. N'y a-t-il donc personne pour se rendre compte que le temps s'est immobilisé, lui aussi, figé dans la chaleur ?

Oh bon sang, j'ai l'impression que je vais tourner de l'œil. Mais qu'est-ce qui se passe, il faut que je bouge mais j'ai les jambes en coton putain, l'impression que je vais tomber si je bouge. Je vais pas y arriver. Je m'attendais pas à ça. Y a un truc qui m'empêche de respirer, un vrai tournis. Arrive pas à remuer les jambes eh merde, je crois que je vais vomir et chier dans mon froc. C'est pas censé se passer comme ça. Je suis juste censé verser la culture dans son Coca et rentrer chez moi. C'est pas la mer à boire. Enfin quoi, il va rien se passer. Il tombera peut-être même pas malade. Je suis pas sûr d'avoir fait du bon boulot avec ma culture d'E.coli. Comment savoir si ce test est valable ? Ai pensé qu'en faire deux serait pas de trop. Même résultat dans les deux cas… plus ou moins. Plus qu'à espérer que ces tests sont fiables et que la culture est mortelle. Oh bon dieu. Laissez-moi entrer, échapper à cette chaleur. M'appuyer contre la vitre et avancer jusqu'à la porte. Ce fils de pute est devant le buffet comme si de rien n'était. Se doute de rien l'enfoiré. Qu'est-ce qu'il en a à battre de tous ces gens qu'il bousille. Rien à foutre. Eh bien tu vas devoir réfléchir à tout ça, ordure, parce que là c'est ton dernier repas, oh cet air frais est agréable. Une vraie gifle. C'était ça le problème. Trop chaud. Ouais. Me sens nettement mieux. Ouais, je vais rester là un moment, reprendre mon souffle, et me glisser juste derrière lui, arriver par-derrière… tout en douceur, calmement oh mon dieu, j'y crois pas je vais vraiment faire ça oh seigneur, voilà que de nouveau mes jambes et mon ventre se… putain, non pas ça, faut pas que ça recommence, faut pas que ce fils de pute s'en sorte, hors de question, m'en fous si j'ai le vertige, oh mon dieu, aide-moi, aide-moi à verser ce truc dans son Coca, plus que quelques mètres, le flacon est prêt bordel mes mains toutes moites la vache j'aurais dû l'envelopper dans du ruban adhésif merde je tremble tellement que j'y vois presque rien, je vais devoir le tenir à deux mains, putain j'y arrive pas, j'y arrive… c'est bon, du calme, du calme… inspirer… expirer… inspirer… expirer… c'est bon, tout va bien, son Coca est là, y a de la place, presque à moitié vide, juste tendre la main par-dessus les betteraves… le verser dedans, voilà, super facile, c'est fait, c'est fait, juste prendre un plateau et bouger, continuer de bouger, dois continuer de remuer ces jambes, continuer de bouger, de bouger, bon dieu je t'en prie t'arrête pas maintenant, ne regarde pas autour de toi, continue juste d'avancer, vers la porte, elle est de plus en plus près, continue d'avancer, se rapprocher non, ne te retourne pas, continue d'avancer, vers la porte, ahhh, la pousser c'est tout ouais, sortir, sortir, beau et chaud, oh c'est agréable, beau et chaud, fini la tremblote, juste besoin de retrouver la chaleur et continuer d'avancer, bordel de merde ne panique pas, ne cours pas, tout en douceur, rappelle-toi comment tu marchais tout à l'heure, flâner, les mains dans les poches, sentir la chaleur du soleil, oh comme c'est agréable, ça va direct dans la moelle de vos os, te retourne pas, bouge la tête, sois normal, mais ne te retourne pas, calme, sentir le soleil sur ton visage, oh génial, n'entends rien, pas de bousculade, il a rien remarqué, juste continuer d'empiler la bouffe sur son assiette, continue de marcher comme ça, une belle journée, bon sang, je suis tellement excité on dirait que ma poitrine va éclater, j'ai l'impression de m'être pris un coup de batte de base-ball, ou de m'être fait cogner par Ali, je vais jamais arriver jusqu'à la voiture, bon sang faut que je me pose et vite, j'ai de nouveau les jambes en coton, du coton dans la bouche eh merde, je viens juste de passer devant la bagnole, d'accord, d'accord, ne panique pas, on va juste faire demi-tour et revenir, jeter un coup d'œil et voir si… non, pas d'activité, juste la circulation ordinaire, tout va bien, monter dans la voiture, c'est tout, merde arrive pas à mettre la clé dans la serrure, eh merde, d'accord; d'accord, calme, c'est ça, ouvrir lentement la portière, lentement, monter dans la voiture, maintenant inspirer… expirer… inspirer… expirer… c'est ça tout en douceur, juste se détendre, calme, faut que je démarre, si je reste trop longtemps ici ça paraîtra louche… prendre les petites rues, lentement, prudemment eh merde, j'arrive pas à mettre la clé de contact c'est quoi qui va pas bordel eh merde j'arrive pas à l'enfiler dans la serrure espèce de saloperie rentre là-dedans eh merde comme c'est bon de sentir le volant contre mon front peut-être que je peux rester comme ça un moment avec les yeux fermés et reprendre mon souffle je tremble tellement j'y vois pas clair oh non faut que je me redresse si quelqu'un me voit comme ça il peut croire que j'ai eu une crise cardiaque ou je sais pas quoi faut que je me casse d'ici eh merde j'y vois rien, tout est embrumé zut mais qu'est-ce qui se passe faut que je me calme, allez respire… ouais respire… bien je vois où je vais tout en douceur les gens s'énervent parce que je roule lentement qu'ils aillent se faire foutre… mais je dois pas, je dois pas attirer l'attention faut que je prenne par les petites rues, tenir encore un peu tout en douceur la ceinture de sécurité faut que je la mette eh merde là-dedans ah non j'espère qu'un gamin va pas débouler devant la voiture ces tarés en skateboards sont partout ou alors un chat ils deviennent fous parfois et filent droit sous vos roues oh pitié pas de gosses pas de chats pas de gosses pas d'oiseaux non rien faut juste que je rentre chez moi oh génial plein d'arbres dans cette partie et pas de circulation ça rend les choses bien plus faciles pas de soleil qui ricoche sur le verre ou le métal faire attention aux panneaux de stop pas les brûler juste s'arrêter puis y aller et toujours très courtois, dois toujours conduire avec courtoisie oh quelle belle rue je revis me demande s'ils ont raison et que ça ne se sent pas au goût dois pas penser à ça maintenant faut que je rentre chez moi entier juste être prudent à cause de la lumière qui joue sur les feuilles pas se laisser distraire

surtout ne pas se laisser distraire. Les éventuels événements qui peuvent se produire en un clin d'œil sont innombrables, absolument infinis. Aussi, bien qu'il ait parcouru plus des trois quarts du trajet de retour, n'ait plus, en fait, que quelques rues à traverser, environ une dizaine, les possibilités d'un désastre sont légion. Mais il semblerait, de plus en plus, qu'il va rentrer chez lui sans incident. Le voilà d'ailleurs qui se gare. Mais il ne sort pas tout de suite et regarde devant lui. Il se demande, peut-être, si ses jambes le porteront quand il se lèvera. Il regarde prudemment autour de lui avant d'ouvrir la portière, désireux, je n'en doute pas, d'éviter l'ultime ironie d'ouvrir en grand la portière et de se retrouver devant un véhicule et... et quoi ? Qui sait ? Mais il n'y a pas de circulation, et cependant il lui faut s'appuyer contre la voiture avant de trouver son équilibre, avant que sa vision soit nette et qu'il puisse remonter lentement et prudemment l'allée.

Mon dieu ! l'allée paraît infinie. Comment la porte peut-elle être aussi loin ? On dirait qu'elle se trouve dans un autre pays. Comment vais-je faire pour arriver jusqu'à la porte, c'est beaucoup trop loin. Je vais pas y arriver. Mais je peux pas rester là éternellement – le plus long trajet commence par un simple pas – faut que je quitte la rue. Que je me décolle de la voiture. Un pied, puis l'autre, c'est tout, un pied, puis l'autre, et on recommence, peux pas marcher trop vite de toute façon, me sens flagada, quelque chose qui cloche avec mon équilibre, merde, les voisins vont penser que je suis soûl si je continue de tituber et qu'est-ce qu'ils penseront si je tombe que j'ai eu une crise cardiaque et ils appelleront la police non, faut que je garde mon équilibre et que j'arrive jusqu'à cette porte mais je dois pas avoir l'air paumé dieu seul sait qui m'observe faut que j'aie l'air détendu comme si je rentrais tranquillement chez moi, c'est cela, regarder autour de moi les arbres le ciel stop et regarder une fleur, avoir l'air vraiment intéressé et reprendre mon souffle on dirait que je viens de courir trois bornes je peux peut-être siffloter ou gonfler mes joues comme si je sifflais comme ça s'ils regardent ils croiront que je me promène juste en sifflotant et en regardant les oiseaux et les fleurs avec plaisir oh bon sang faut que j'arrive jusqu'à cette porte et que je rentre dans la maison merde voilà que la sueur me dégouline dans les yeux et je vois rien peux pas sortir mon mouchoir, trop voyant, juste faire comme si je me grattais la tête et m'essuyer les yeux avec le bout du doigt oh c'est agréable j'y vois un peu devant moi oh doux jésus je vais y arriver tout en douceur la clé dans la serrure s'appuyer vaguement contre la porte je crois que c'est comme ça que je l'ouvre d'habitude oui c'est ça me glisser à l'intérieur et refermer derrière moi j'y suis arrivé j'y suis arrivé la porte est fermée le verrou est mis je suis chez moi je me demande quelle heure il est maintenant combien de temps je suis parti je me rappelle pas à quelle heure j'ai quitté le café jamais vraiment su dois m'asseoir oh bon dieu ça fait du bien devrais ôter ma veste et ma cravate me mettre à l'aise dois m'asseoir me reposer oh bon sang je me sens tout faible qu'est-ce qui se passe ????

Oh ça va mieux, nettement mieux. Reprendre mon souffle. Ouah c'est agréable! Comment j'ai pu respirer avec le col boutonné? pas étonnant que je me sente tout faiblard, j'étais en train de m'étrangler. Me sens mille fois mieux rien qu'en le déboutonnant. Ôter cette veste dans la foulée… ou presque. Cet air fait du bien, rien que de passer dans ma gorge. Incroyable comme ça va mieux dans ma poitrine. Les jambes encore un peu en coton. Merde. Pourquoi est-ce que j'arrive pas à me lever ? j'ai le vertige rien qu'en essayant de me lever. C'est complètement dingue — entendu, on se calme. On reste assis encore quelques minutes. Rien ne presse. Tout en douceur. Merde. Même pas trois heures. On dirait qu'il s'est écoulé des années. Juste quelques heures. Il va déjeuner à une heure. Arrive pas trop à me rappeler ce qui s'est passé. Je revois les choses, mais les souvenirs sont confus. Très étrange. Sais exactement ce qui s'est passé, mais… Au moins je crois que je sais ce qui s'est passé. Et si je me trompais ? Pas possible. Non. Comment je suis sorti ? Du café. Ai pas couru. Non. Jusqu'à la voiture. Arrive pas à me rappeler. Mais je suis rentré à la maison. Je suis ici. Comment j'ai réussi nom de dieu ? Tout ce trajet ? Je m'en rappelle pas ouais, c'est vrai, mes yeux me brûlaient. La sueur. Huit bornes. Au moins. Devrais me rappeler quelque chose. Me demande si je peux me lever maintenant ? Je crois que je suis en nage à nouveau. Non, mieux vaux pas se doucher. Jambes trop flagada. Putain, je suis vraiment chez moi. Je l'ai fait. Pas vrai ? Ouais, je sais, mais mieux vaut regarder le flacon. Au moins comme ça — Vide. Savais que je l'avais vidé. Je l'ai vraiment fait. Je l'ai fait… et je suis ici. J'ai renversé personne. Oh bon sang, un truc pareil je m'en rappellerai. C'est sûr. Ouais !!! je suis ici. C'est fini— Hé ! Je suis debout. Mes jambes vont bien. Ramasse ton paquetage et marche mon fils. Peut-être que demain j'aurai les souvenirs plus clairs. Une douche. Brûlante. Glacée. Enlever ces habits. Quelle super journée. La meilleure journée de ma vie. Non, on balance pas les habits sur le lit. Suspendre le costume, bien comme il faut. Tout en ordre parfait.

Effectivement, tout est parfait dans le monde parfaitement ordonné de cet homme... à ce moment particulier. Notre homme chante sous la douche, les jambes solides, l'eau brûlante, détendante, la buée emplissant la salle de bains, se fixant sur le miroir. Plus tard, peut-être bientôt, il augmentera le débit d'eau froide par petits crans et quand il coupera enfin l'eau il se sentira revigoré et se séchera vivement et sortira, un homme neuf, au moins pour le moment.

Il me faut des géants ! Arrive pas à croire que mes jambes étaient aussi faibles y a juste quelques minutes. Je pourrais escalader une montagne. Non, je pourrais escalader l'autre fumier. Mince, j'ai la dalle. Ah ah, pas étonnant, j'ai pas pris de déjeuner. Vais me préparer un truc. Un sandwich au rôti de bœuf et une bière, ça serait sympa. Avec des cornichons. Super chouette. Regarder un film en mangeant. Pourrais aller plus tard au restau pour fêter ça. Un beau filet de poisson bien grillé j'ai pas vérifié la voiture. Je sais qu'il y a rien mais mieux vaut la vérifier quand même inutile de prendre des risques bon je sais pas quels risques mais ce sont les petits détails qui vous sauvent ou vous mettent dedans non je me ferai discret je vais pas examiner chaque centimètre je vais juste faire tranquillement le tour jusqu'au côté conducteur ouais c'est cela regarder soigneusement pas de précipitation ouvrir la portière et passer la tête dedans et ou — non, monter dedans et ouvrir la boîte à gants et farfouiller dedans une minute maintenant ressortir et aller de l'autre côté... ouais, qui va remarquer puis juste remonter l'allée tout en douceur et retourner m'asseoir et finir mon sandwich, tout baigne, mes jambes tiennent le coup, elles ont pas trembloté une seconde. Solides comme celles d'un demi de mêlée. Une après-midi paisible. Ai du mal apparemment à me faire à l'heure qu'il est. La journée semble vraiment longue. Effectivement, mais il reste encore plein de temps. Quelle journée merveilleuse et – peut-être que je devrais cacher le flacon pas envie qu'une suite de coïncidences révèle ce qui s'est passé mais qu'est-ce qu'il y a à révéler bon on n'est jamais trop prudent mais si une étrange série de circonstances mène au flacon ça serait franchement oh bon sang de bon soir, t'as qu'à le balancer, le flacon, la culture tout le tintouin, mais j'en ai besoin de plus oh c'est n'importe quoi, je peux toujours en refaire et qu'est-ce que je dirais si les flics trouvaient le bocal de culture dans la penderie d'accord, arrête avec ça, oublie tout ça, personne ne va venir fouiller ici balance tout et détends-toi, écoute les oiseaux, ouais, parlez-moi, non chantez pour moi mes pinsons et mes merles, oui chantez-moi vos belles chansons mes jolis oiseaux jolis oiseaux chantez chantez comme votre chant est doux un chant si léger et délicat comme une berceuse qui endort le diable ah oui sans défense contre un microbe comme c'est joliment poétique comme le rossignol défaire la tyrannie des démons avec quelque chose d'invisible à l'œil nu oh oui l'œil démoniaque est nu à mon regard je te traquerai te débusquerai et te détruirai sans que tu le saches sans que tu saches que tu es expédié dans les flammes de ta propre création sans soupçonner mon existence pas même un nom ou un visage pour toi pas même les neuf chiffres d'un numéro de Sécurité sociale sans soupçonner que cet individu que tu as choisi de traiter avec mépris est ton bourreau oh oui je me régalerai pendant que tu boufferas la poussière dans ta tombe oh j'espère que ta douleur sera intense le moins que la vie puisse faire pour venger tous ces milliers de types à qui tu as causé une douleur aussi extrême oh espérons que l'agonie t'arrache des gémissements et des supplications une douce musique qui se joindra au chant de mon rossignol de doux chants pour célébrer les vers qui grouillent dans ta répugnante carcasse.

Quelle belle soirée – déjà nuit? non c'est encore le soir, difficile de dire à cette période de l'année, me demande quelle heure il est oh pas important, des tas de gens dans les rues, me demande si je devrais pas aller manger un truc quelque part oh pas maintenant peut-être plus tard ai pas trop faim, zut arrive pas à me rappeler où je suis allé je veux dire je me rappelle bien où je suis allé c'est juste que je peux pas me rappeler y avoir été je me rappelle très bien les rues bien sûr je me… voyons voir il y a Lawrence puis Hobbs là — bon oui bien sûr il y a Selby mais c'est là que j'habite naturellement j'ai pas commencé par là penser aux rues plus tard d'accord bon y a Selby, Bankcroft, puis Lawrence je sais mais c'est juste un tout petit bout de rue juste un « pont » vraiment de Bankcroft à Lawrence d'accord d'accord donc Solo Court, Lawrence, Hobbs, Tempo, Main et maintenant je suis dans Valley Circle fais le tour de « The Square » je sais exactement où je suis, et où je suis allé, et j'ai « conscience » de ce qui m'entoure, les gens les magasins les cafés les bistros les trattorias les coffee shops les restaurants les deli, j'en ai parfaitement « conscience », je vais bientôt tourner dans Garden et voir où ça va me mener, peux toujours manger plus tard, moins de gens ici, on dirait que j'ai marché longtemps mais je le ressens pas, plus calme ici aussi moins de voitures les bruits de la circulation plus distants, les arbres doivent sûrement bloquer les bruits les étouffer, j'ai toujours aimé cette partie du campus, arrive pas à voir la structure du parking, juste de l'autre côté de cette colline, peux pas voir non plus la rue, juste les arbres et les buissons et tout ça, m'arrêter quelques minutes oh la vache ça fait du bien, dieu bénisse celui ou celle qui a installé un banc ici, j'ai dû marcher d'un bon pas, apparemment en tout cas, ça fait quand même une belle distance, trois bornes je dirais, ou plus… les sens vraiment dans les jambes maintenant que je suis assis, et mon dos… sens ma respiration se calmer aussi, ai vraiment dû faire un effort… ouais, rien de tel qu'un peu d'exercice pour garder la forme et la santé. Un bel endroit, vraiment. Même une légère brise par ici. Discrète mais on la sent. Surtout sur mon visage, j'ai dû transpirer. L'air est doux, pas de parfum de fleurs, juste doux et propre, je crois que c'est ça il sent le propre et il est si rafraîchissant que je pourrais rester là toute la nuit, ouais, on dirait qu'il se fait tard mais le soleil est encore dans le ciel, on le voit qui ricoche sur les feuilles en haut des arbres. Vraiment beau. Des étincelles. Scintille, c'est ça, il scintille. Sûrement qu'on aura droit à un beau coucher de soleil. Me demande ce que j'ai envie de manger… Meurs de faim, tout d'un coup. Ça a dû me creuser l'appétit de marcher comme ça. M'en suis pas aperçu avant de m'asseoir dans ce petit endroit idyllique. Comme si le monde existait pas. Et j'ai de plus en plus faim. Qu'est-ce que j'ai envie de manger ? Super faim, c'est tout. Peut-être que je vais m'arrêter dans le premier endroit que je verrai. Voir quelle est l'ambiance. Ou alors passer par le campus. Agréable. Sympa. Marcher lentement et apprécier le paysage — Ouais, peut-être que Barnard se sent fiévreux. Arrive pas à manger. Sa femme lui demandera ce qui va pas et il lui dira que c'est son estomac, sûrement un truc qu'il a mangé. Doit être du thon avarié. Petit poisson pourri. Ça sonne bien, ça. Petit poisson pourri. Répétez après moi les élèves,

Petit poisson pourri ; Petit Poisson Pourri. Très bien. Encore une fois, Petit Poisson Pourri. Petit Poisson POURRI. Et qu'est-ce qu'on attrape si on mange du poisson pourri ? Tous ensemble maintenant… une MALADIE. Il devrait aller à Dysneyworld, commander une salade et un Coca, et manger du thon avarié…

L'homme avance gaiement, joyeusement parmi les arbres, le long des sentiers et des allées, les arbres et les buissons jettent de longues ombres dans le soleil couchant. Quelle vigueur enjouée dans la démarche, quel enthousiasme dans l'attitude alors qu'il foule l'herbe, s'arrêtant fréquemment pour apprécier les fleurs, respirer profondément cette atmosphère salutaire, sans remarquer qu'il passe de l'herbe au béton, complètement absorbé dans ses pensées et les gaies sensations qu'elles créent dans son corps, la légèreté du pied et des épaules, se fondant dans les ombres qui s'allongent, les sentant frôler sa joue ; il se retrouve assis à une table en terrasse et commande un plat du jour d'un léger mouvement de la main, large sourire, attitude joviale et primesautière, il se laisse aller contre le dossier et déguste son apéro alors que son ombre s'étire, paresseusement, sur le trottoir.

Sais pas combien de temps ça prend à E.coli pour se déclencher, je veux dire quand il va le sentir. Disent rien sur les délais. Possible qu'il se sente juste un peu indisposé. Bon, pas besoin que ça tourne au désastre… En fait ça serait parfait… pourrait très bien marcher ainsi... ouais, ouais, on pourrait déjeuner ensemble une ou deux fois par mois. Oh ouais, ça serait encore mieux. S'il est juste légèrement malade, les médecins ne penseront même pas à chercher des traces d'E.coli... enfin, peut-être. Des chances pour qu'ils lui filent du Maalox ou un truc dans ce genre. Finiront par vérifier, mais pendant un temps ça sera juste « un état chronique non diagnostiqué ». Oh ça serait super : Mais qu'est-ce qui va pas chez moi, docteur, je supporte plus, ça fait des mois que ça dure. J'ai du mal à travailler, je prends du retard et je dois être inspecté d'ici deux mois. Et ma femme elle se plaint. Je peux pas me permettre d'envoyer en retard mes rapports à Washington je vous raconte pas ce que c'est que d'avoir sur le dos ces bureaucrates, on peut rien leur expliquer même si on trouve quelqu'un à qui expliquer la situation, c'est comme d'essayer de punaiser de la gelée sur un mur, et je —

Allons, calmez-vous. Vous ne ferez qu'empirer les choses. Ça peut prendre du temps mais —

Mais c'est exactement ce que j'ai essayé de vous dire, je n'ai pas —

Je vous en prie, Mr Barnard, vous devez vous détendre – serre légèrement ses épaules en souriant – vous avez subi énormément de stress et ça ne fait qu'aggraver votre état, de toute évidence.

Mr Barnard soupire et se laisse aller contre la table d'examen en hochant la tête, Entendu... ouais, je suppose que vous avez raison – secoue la tête tout en fixant le sol puis dévisage le médecin avec une tristesse indicible d'un regard si triste implorant que ce dernier est soulagé que son patient ait une assurance médicale sinon il serait tenté, ou du moins contraint, de le facturer plein pot (hé-hé).

Voici le nom d'un médecin que vous devez aller voir, un allergologue.

Un allergologue ? Je ne comprends pas – secoue la tête, son visage déformé par la confusion – le problème est dans mon ventre alors —

Les allergies sont des petites sournoises. Une allergie, ou des allergies, peut en fait produire les symptômes dont vous vous plaignez et mon sentiment est qu'il serait plus efficace d'étudier la possibilité que votre problème soit dû à des allergies avant d'entreprendre les laborieux et complexes examens gastro-intestinaux. Nettement plus agréable aussi – s'efforce de sourire d'un air rassurant – Et s'il s'agit d'une allergie votre état pourra être amélioré avec un simple cachet – tapote Mr Barnard sur le dos et lui souriant de façon rassurante – Entre-temps détendez-vous, ne vous inquiétez pas et appelez le Dr Jansen dès que vous serez de retour dans votre bureau. Entendu ? Et hop, une petite tape sur l'épaule.

L'expression de chien battu colle avec ténacité au visage de Barnard, elle le ronge et s'infiltre, comme la lèpre, sous sa peau, dans ses muscles et ses tendons, rongeant son corps, ses os et même sa moelle, corrompt son sang et dévore lentement son cerveau, comme un cancer qui commence dans les parties les plus enfouies, des cellules avides qui mâchent et triturent os et muscles, tissus et tendons, mordant, déchirant, dévorant mais sans tuer, savourant plutôt le délicieux processus d'insupportable et douloureuse destruction.

L'humeur n'est guère festive à Barnardville ce soir-là quand ce rabat-joie de papa franchit d'un air déprimé le seuil de chez lui, son « bonsoir » *sotto voce* aussitôt absorbé par le tapis tandis que les enfants l'ignorent et que sa femme marmonne, Le voilà.

Un dessert, monsieur ?

Hein ???? Oh non, non. Merci. L'addition, ça ira.

Comme le sourire de cet homme est chaleureux. Sa seule vue vous réjouit le cœur. Cet homme a de quoi être content de lui alors qu'il se lève, s'étire un tout petit peu, tord le cou, roule des épaules, et rentre chez lui d'un pas tranquille.

Il pourra se passer des mois, beaucoup de mois avant qu'il découvre ce qui ne va pas chez lui, une longue et continuelle dégradation. Ou alors il peut se remettre lentement et on pourra de nouveau déjeuner ensemble. Succomber lentement à une maladie chronique. Magnifique.

Mais t'avais promis, papa, t'avais promis.

Je suis désolé mon chéri, mais je ne me sens pas bien. Il faut que je me repose ce week-end. Une autre fois.

Mais tu as dit ça le week-end dernier.

L'homme regarde son épouse avec des yeux suppliants lui demandant d'intercéder en sa faveur, et elle le regarde, troublée, inquiète.

Qu'est-ce qu'il y a, Harry ? Tu es soudain si distant. Tu n'as jamais envie d'être avec nous. Tu —

Ce n'est pas vrai, Belinda. C'est juste que je ne me sens pas bien et que je —

Je ne sais pas, Harry, ça me paraît étrange que tu sois soudain malade au point de ne pas pouvoir être avec ta famille toi qui n'as jamais été malade de toute ta vie – au bord des larmes, tremblant légèrement, serrant ses avant-bras.

Mais, Belinda – il tend une main vers elle, elle recule d'un bond —

Non, Harry, s'il te plaît ne me touche pas. Je ne sais pas ce que tu fais pour être aussi « fatigué » mais je sais que ça n'est pas à cause du temps que tu passes avec nous.

Je te l'ai dit et redit je dois rester tard au bureau parce que je n'arrive pas à travailler correctement. Je n'ai pas le choix.

Manifestement, tu as choisi de ne pas être avec ta famille —

(ah oui, les gamines. Deux petites filles… voyons voir… oui, environ 5 et 6 et aussi jolies que des perles ou des boutons, enfin bref, de mignonnes petites filles).

Les deux fillettes reculent, leur tête et leurs yeux baissés, leurs petits mondes enfantins s'effritant brique par brique, des fissures et des failles dans le ciment, des bouts de pierre qui tombent, des larmes roulant lentement de leurs yeux souffrants, leurs bras et leurs joues de petites filles tout tremblants, elles se cramponnent l'une à l'autre pour se protéger car il est clair que les Cieux et Dieu Lui-Même vont les foudroyer car elles n'ont pas été sages, la preuve : papa et maman se disputent ! Elles se serrent l'une contre l'autre, toutes paniquées, reculent encore et encore, espérant échapper au courroux des Cieux et de Dieu Tout-Puissant mais que peuvent-elles faire alors qu'elles regardent leur maman chérie et leur papa engagés dans un mortel combat, comment tout cela finira-t-il…

… ce n'est rien d'autre, Belinda, il n'y a pas de grand mystère. Je suis juste épuisé.

Pas suffisamment épuisé pour « travailler » tout le temps.

Oh, combien de fois vais-je devoir te le répéter, c'est parce que ça me prend un temps infini pour faire la moindre tâche. Je ne peux pas te d —

C'est évident ! Allez, les filles, rassemblez vos affaires.

D'accord, maman.

Les petites choupines prennent leurs sacs à dos et se dirigent vers la porte, décrivant un grand arc de cercle autour de leur papa chéri. Papa chéri voit son épouse lui lancer un dernier regard désespéré avant de quitter la maison et de partir pour Dysneyland.

Est-ce que tu te sens abandonné, Barnard ? Tu te sens privé du droit de vote ? Tu te sens torturé et tourmenté par le système même que tu aides à perpétuer ? La monstruosité efficace de l'usure, le fait que les gens soient continuellement rejetés, à la fin ils n'ont plus assez d'énergie pour continuer d'essayer d'obtenir ce qui leur revient de droit, des droits qui ont été établis par le Congrès des États-Unis et bafoués par des raclures dans ton genre. Combien de temps encore auras-tu l'énergie de te pointer à ton bureau et de prendre ta place dans l'immeuble aux murs de briques érigé dans le but de détruire des gens comme moi ? Peut-être que bientôt ce même système t'éliminera parce que tu as épuisé ton énergie. Oh ironie du sort, comme c'est poétique. Lutte Barnard. Lutte pour sortir de ton lit le matin, lutte pour te doucher, pour te raser, pour réussir à enfiler tes vêtements et ensuite prie pour qu'il te reste assez de temps pour prendre une tasse de café qui t'aidera à te rendre en voiture jusqu'au boulot pour prendre ta place dans le système des assassins. Peut-être que tu seras pris à ton propre piège. Peut-être que tu verras ta femme dévouée et tes jolies fillettes quitter ta maison et ne plus jamais revenir. Pense aux coups de fil paniqués que tu passeras à sa famille, la suppliant de te dire au moins un mot. Ils se rendent à Dysneyland, vont passer une belle journée pleine de cris et de rires tandis que tu luttes pour abattre du boulot, du boulot qui aurait dû être bouclé la semaine dernière mais qui est là, sur ton bureau chez toi et t'attend… t'attend, toi, Barnard. Mieux vaut t'y coller avant que l'occasion de refuser à un vétéran ses avantages ne s'éclipse.

L'homme est tellement ému par l'épreuve que traverse Mr Barnard qu'il ne s'est pas encore aperçu qu'il était chez lui, sa veste suspendue dans la penderie, sa cravate défaite, son col déboutonné, étendu sur son fauteuil avec une télécommande à la main. La télé est-elle allumée ? Il l'ignore. Cela n'a pas d'importance car rien ne saurait empiéter sur sa conscience pour l'instant. La télécommande semble assurer son équilibre, l'aider à se concentrer sur ses pensées, car tant qu'elle reste solidement dans sa main il ne cherche rien en dehors de lui-même.

… un instant… supposons qu'il meure ? Et ensuite ? Toute cette souffrance sera finie. Oh non ! Il ne doit pas mourir. Il doit rester en vie, il le doit absolument. Il doit payer pour la douleur et le malheur qu'il a causés. Il peut pas s'en sortir aussi facilement. Il doit rester en vie. Ce n'est que justice. Il doit y avoir au moins un semblant de justice quelque part en ce monde. Des gens comme Barnard ne peuvent pas se débiner ainsi. Pourquoi devraient-ils toujours s'en sortir alors que nous autres on paie avec notre sang pour leurs crimes ? Ouais, on paie, mais seulement après une vie entière de souffrances. Le ministère des Anciens Combattants est censé nous aider mais au lieu de ça ils inventent un système pour nous frustrer afin qu'on arrête d'essayer de bénéficier des avantages que nous méritons, et des types comme Barnard entretiennent gaiement le système, obtenant des notations de plus en plus élevées et des primes à chacun d'entre nous qu'ils réussissent à décourager, et ce sans cesse, bureau après bureau, sans cesse bon dieu comment peuvent-ils être aussi cruels c'est comme la mafia et le syndicat des routiers, je dois payer davantage pour la bouffe que je mange juste parce qu'ils s'en foutent de tuer des gens, ouais, c'est ça, vous leur filez pas leur boulot et ils vous zigouillent, comme ça, et qu'est-ce que vous allez faire? Qu'est-ce que vous pouvez y faire? On peut pas lutter contre la bureaucratie. Mais peut-être qu'on peut y mettre le feu. Et peut-être que Barnard n'est que le commencement et qu'il continuera de se consumer sans mourir, oh bon dieu, faites qu'il ne meure pas, s'il vous plaît faites qu'il vive une longue, longue vie, s'il vous plaît, ne le laissez pas s'en sortir aussi facilement – eh attendez... ouais, ça serait peut-être même mieux. Peut-être que les feux de l'enfer existent vraiment avec de l'eau fraîche toujours hors de portée. Sa famille va souffrir, au début, mais elle surmontera tout ça ouais, ouais, sa femme va se remarier d'ici quelques mois et elle et les enfants vont oublier qu'il a jamais existé oh comme c'est beau, comme c'est délicieusement frustrant, il ne sera même pas capable de la hanter, il ne pourra rien faire de tel parce qu'elle ne sait même pas qu'il existe et de toute façon, il ne saurait même pas comment la hanter, sa spécialité c'est de hanter les vétérans, de nous pousser vers la tombe bon on dirait qu'il a trouvé son égal, voilà une requête qu'il ne va pas pouvoir balayer, ses magouilles d'enfoiré ne lui seront d'aucun recours pendant qu'il bouffera la terre et se remplira d'asticots. Je me demande si je devrais pas aller à son enterrement. Lui rendre un dernier hommage. Ouais, bien sûr, écouter un crétin faire son panégyrique. Non merci. Oh non, ce salaud ne sera pas enterré avec ses os. J'y veillerai. Oui, ça serait merveilleux. Obtenir une liste de tous les vétérans qu'il a torturés et leur envoyer une copie de sa notice chronologique. Ça serait une démarche coûteuse. Des milliers d'exemplaires, d'enveloppes, de timbres. Oui, bien sûr, ça serait stupide et imprudent. Je ne suis pas sérieux. Mais quand même, c'est agréable d'y penser, non ? Tiens, ça doit être la fin des infos de onze heures. Il doit commencer à être tout fiévreux. Va vomir en pleine nuit. Plusieurs fois. Des haut-le-cœur, peut-être une hernie. Sa femme sera toute retournée, il faudra qu'elle appelle une ambulance, le médecin, les urgences, qu'elle l'emmène à l'hôpital, qu'elle lui éponge le front…

Ah, ça y est, la télévision a été éteinte et il se dirige d'un pas léger vers la salle de bains, se déshabille, et range soigneusement ses vêtements avant de prendre une douche brûlante. Quand il s'allonge sur son lit, il se rend compte soudain, avec une acuité étonnante, que son corps est épuisé alors qu'il semble se replier sur lui-même et presque se dissoudre.

Peut-être que je devrais l'appeler pour voir s'il va si bien…

Il se tourne sur le côté et s'endort rapidement, d'un sommeil sans bruit et sans rêve comme seul en connaît l'innocent. Au matin, il laisse lentement et agréablement le sommeil derrière lui et repose sur le dos, à écouter le chant des merles, à sourire, avant de se redresser et d'aller dans la salle de bains. Aucun sentiment d'urgence n'anime son esprit ou son corps. L'air même qu'il traverse est léger et doux, caresse et apaise son corps, l'accueillant avec la promesse d'une nouvelle journée gratifiante.

… ouais, je pourrais appeler maintenant… mais y a pas le feu. Que je l'appelle maintenant ou que j'attende encore quelques minutes, ça ne changera rien. Hmmm, quelle belle matinée. Peut-être une promenade dans le quartier. Pourquoi pas.

Oh ouais c'est agréable. Les oiseaux apprécient, c'est clair. Y en a partout sur les pelouses. La vache, c'est impressionnant. Les merles sont les seuls que je vois faire ça. Ils sautillent et soudain bam, ils enfoncent leur bec dans le sol et en retirent un vers. Me demande comment ils s'y prennent ? Est-ce qu'ils le voient vraiment ? Bam ! comme ça, c'est tout. D'autres oiseaux picorent juste le sol, des graines ou je sais pas quoi. Doivent pas être les seuls à manger des vers. Des lève-tôt ces piafs. Peut-être que les vers se font rare c'est pour ça qu'il y a pas plus de candidats. Beaucoup de chants d'oiseau ce matin. Mais les plus beaux c'est les merles. Hé fais gaffe! Stupide écureuil, t'as failli te faire tuer. Cette voiture l'a même pas vu. S'est quasiment jeté sous les roues. Tu ferais mieux de rester dans cet arbre mon pote. C'est dangereux en bas. Ce geai en avait après sa queue c'est clair. Avait dû trop s'approcher de son nid. Faut pas emmerder les geais l'écureuil. C'est des tueurs. Ils te tuent à coups de bec. Ça oui la nature est étrange. Belle matinée, les oiseaux chantent, il se passe des tas de trucs. Dangereux par ici d'être une petite créature. Mais les massifs de roses sont magnifiques. Les arbres aussi. Ils durent des centaines d'années parfois. Ils se font abattre aussi. Tout disparaît tôt ou tard. Même moi. Me demande quand ça sera? C'est vrai, ça, y a pas si longtemps je voulais en finir???? Comment est-ce que j'ai pu me sentir aussi dévasté par… par… par ce qui me dévastait? La vie, c'est tout. Rien de particulier. Pas de tragédie. Juste la vie. Pas de but. Aucune raison valable de sortir du lit, de se taper une autre journée. Je me sentais fini. Difficile — impossible d'imaginer une matinée comme celle-ci. La vie est douce, précieuse, elle se savoure, se bichonne, se vit. C'est cela, se vit. On écoute au fond: La vie se v— et puis zut. L'air sent bon. Même le bruit des voitures est plutôt réconfortant. L'herbe fraîchement coupée. Quel beau spectacle. Des arroseurs en plein soleil. Très joli. La brume qui flotte. Des petites flaques d'eau pour les oiseaux. Vraiment agréable. L'eau. Ahhhh... Pas la peine d'appeler maintenant. Largement le temps. Pas la peine de connaître l'heure. Abattre un peu de boulot quand je rentrerai chez moi. Je peux appeler à n'importe quel moment. C'est moi qui décide...

Qui ne pense qu'à jouer finira fauché. Toutes ces années à bosser avec des ordinateurs sans me douter qu'il y avait toutes ces infos sur Internet. Bien sûr, j'en ai entendu parler, mais... enfin bref tout est là. Anonyme. Aucun nom de changé pour protéger les innocents. Pas d'astuce mnémotechnique à se rappeler. Pas besoin d'être James Bond ou Austin Powers. Oh je t'adore ma toute belle. L'amour de ma vie. Tu es si bonne avec moi. Tu aurais dû être avec moi ce matin. Ça t'aurait beaucoup plu. Un ciel magnifique. Pas trop chaud, assez frais pour toi. Les arbres et les massifs en fleurs. Des tas de fleurs. Des oiseaux, des oiseaux, des oiseaux. Peut-être que tu les as entendus. S'arrêtaient pas. Des tas de belles couleurs. Oh ouais, même un stupide écureuil. A failli passer sous les roues d'une voiture. Tu te rends compte ? Un geai en avait après lui, il piaillait et s'égosillait. Il était vraiment furax. Avait dû s'approcher un peu trop de son nid. Le pauvre écureuil savait pas ce qui était le pire, la voiture ou le geai. Je te donnerai une gâterie quand j'aurai fini ce projet. Je te mettrai le CD sur le Louvre et je te laisserai t'y balader un moment. Ça me prendra pas très longtemps..

Agréable de s'étirer. Une matinée productive. Ouais, excellente. Me demande quelle heure il est — oh non, vais quand même pas regarder l'horloge. Je joue pas à ça. J'appellerai quand je l'aurai décidé. Savoir ce qui s'est passé. Peut-être. Merde, il a peut-être clamsé en se rendant au boulot et ils en savent rien. Bon, bref, aucune garantie qu'ils savent quoi que ce soit à son bureau. Ouais, y a du vrai là-dedans et pas qu'un peu, savent rien de rien. Comme une bande de Russes fous. *Niet.* C'est tout ce qu'ils savent ces cons. *Niet.* Quelle heure il est ? *Niet.* Où sont les toilettes ? *Niet.* Jolie cravate que vous avez là. *Niet.* C'est tout ce qu'ils savent. À Washington et partout ailleurs : *Niet, Niet, Niet.* Seraient pas foutus de vous dire quelle heure il est. C'est de la folie. En fait, non. La folie est incontrôlable. Ça c'est délibéré, créé et perpétué pour frustrer et tuer. Trop facile de parler de folie. Hors de question de brader les responsabilités. Ils n'ont pas créé un monstre, c'est eux le monstre. Chaque seconde de douleur, chaque rêve anéanti, chaque vie détruite tout ça le résultat de leurs efforts. C'est eux qui ont fait ça. Qui continuent de le faire. Comment font-ils pour se supporter ? Comment fait leur famille ? Quel genre de gosses ils élèvent ? Des meurtriers sanguinaires ? Ou des gosses qui se contentent d'arracher les ailes des mouches ? Je ne comprends pas ce monde. Tant de gens méchants, pourris qui ont tant de contrôle. Comment ça se produit ? Pourquoi ça se produit ? Combien de gens ont même entendu le nom de Barnard ? C'est pas comme Eichmann. Mais c'est quoi la différence ? Se valent largement. Tout est si pourri, pourri jusqu'à l'os. Seuls des types comme moi connaissent son nom. Et le maudissent. Des gens qui ont été trompés, éreintés et traqués par cette vile vermine inexcusable. Combien ont pété les plombs à cause de cette cruauté, passant leur vie dans quelque pavillon d'hôpital psychiatrique pour vétérans, de la salive dégoulinant de leur bouche, condamnés à vivre à jamais dans l'horreur créée par Barnard, leurs esprits fragiles survivant aux horreurs de la guerre, mais incapables d'accepter que le gouvernement qu'ils ont défendu non seulement leur ait tourné le dos mais les ait tentés avec des mensonges qui entretiennent le faux espoir, et qui est en réalité un système de torture avec Barnard pour perpétrer et perpétuer ces crimes, combien ont déjà renoncé et se sont simplement couchés pour mourir ou lutter pour nourrir leurs familles, en espérant qu'un jour ils se verraient accorder ce qu'ils auraient dû déjà avoir mais eux aussi ont été finalement détruits oh tu es un beau fils de pute bien pourri, comment peut-on traiter ainsi un autre être humain, ils ne t'ont rien fait et pourtant tu prends plaisir à les torturer oh j'espère qu'il y a un enfer pour que tu puisses y rôtir eh merde, ce putain de fumier, je me sentais super bien et voilà qu'il m'empoisonne on va voir ce qui se passe.

Bureau de monsieur Barnard.

Ah… j'aimerais parler à monsieur Barnard.

Il est parti déjeuner, je peux prendre un message ?

Non… non, ça ira. Je réessaierai plus tard.

Il est au boulot… Parti déjeuner… Doit pas être trop malade… Hmm… Peut-être même pas du tout malade… Me demande…

Peut-être qu'il ne mange pas vraiment. Possible. Il s'est assis au soleil ou s'est allongé dans le salon. Ouais. Mange rien du tout. Il est peut-être aux toilettes. Sûr. Bien possible. Irait pas dire à sa secrétaire Je vais aller passer une heure aux toilettes. Comme je l'ai dit hier, le mieux c'est qu'il soit encore en vie. Ça serait là la réponse à ma prière. Oui. Oui. Oh la vache, je sais que c'est ça. Tout se met en place. Je le sens au fond de mes os. Oui. Oui. Oui. Merci mon dieu. Tout va se mettre en place. Le processus est lancé. C'est parti. Oui ? Bon sang, je meurs de faim. Peut-être que Barnard peut pas manger, mais moi si. Ah-ah, j'aimerais pouvoir lui passer sous le nez un hareng mariné. Oh, vous savez ce qui serait super ??? des huîtres. De belles huîtres grises et gluantes. Les secouer dans leur coquille. Oh la vache, ça c'est fortiche, ha-ha, déposer des huîtres sur une cervelle de veau, une belle assiettée de cervelle toute tremblotante avec des huîtres, beurk, ça me donne envie de gerber. Oublions tout ça. Je ferais mieux de la jouer simple et de faire griller quelques anguilles et de les regarder gigoter dans la poêle. Ouais, simple et efficace. Oh des fois je me trouve horrible. Faire suivre le tout d'un sundae au caramel chaud. Oh monsieur, vous êtes trop cruel. Possible. Mais ça ne va pas m'empêcher de manger. Décisions, décisions. Me préparer un truc ici ou sortir ? Un peu la bougeotte. Marcher jusqu'à l'épicerie devrait être agréable. Me dégourdir les jambes. Pas encore trop chaud. Ouais. Bonne idée. Un coup de génie. Zou c'est parti.

Ainsi donc il en est venu à se débarrasser de la déception et de la dépression et le revoilà dans la lumière et le soleil. Un tel homme ne devrait-il pas l'emporter ? N'est-il pas destiné à être victorieux dans toutes ses entreprises ?

Bœuf fumé ou poitrine de bœuf ? Décisions, décisions. De quoi j'ai envie ? Peu importe. La nourriture est saine ici. On n'est jamais assez prudent de nos jours. Plein de salmonella et d'E.coli par ici. Je crois que je vais prendre le fromage et l'avocat. Ouais. Ça me semble bien. Un thé glacé et je suis paré pour tout ce que la journée a à me proposer. Oui. Par ici la journée. Non. Pas intéressé par les géants. Hmmm, ouais, peut-être les clowns. Ouais, ils sont peut-être au menu. Bien trop menu, comme dit le docteur, ah-ah. Juste la journée et ce qui va avec. Je verrai bien. Peut-être plus tard. Si l'envie m'en prend. C'est moi qui vois. Peut-être pas tous, pas tout le saint-frusquin, pour ainsi dire, mais c'est de mon ressort. Les résultats... bon, dépendent de nombreux facteurs, santé générale, résistance du système immunitaire, stress, oh oui, le stress, mais certainement pas la conscience. Pas de problème pour Barnard... pour eux tous, ces... ah les — non. Catégoriquement. Vais pas me laisser abattre par leur absence d'humanité. Vais apprécier mon repas, la journée, les oiseaux, les abeilles, tout ça, et si je suis d'humeur à appeler cette après-midi je décrocherai simplement le téléphone, composerai le numéro et verrai comment se porte notre ami. C'est moi qui décide. Pour l'instant je vais manger très lentement ce sandwich et regarder la serveuse aux cheveux roux. Une véritable idée de génie. Me demande qui y a pensé le premier. Brillant. Des serveuses en minijupe. Chaque fois qu'elles se penchent au-dessus d'une table on pense au paradis. On en voit pas tant que ça, en fait à peine un éclat de culotte. Un aperçu. L'attente. Si elle se penche juste un tout petit petit peu. Délicieux. Absolument délicieux. Ouais, le sandwich aussi. Mais il s'agit de bien plus que de nourriture terrestre. On parle des dures réalités de la vie. Il y a des choses plus importantes que la bouffe. À moins qu'on crève de faim bien sûr. Mais il y a d'autres choses qui créent des faims supérieures. Quand on est satisfait.

Excellent sandwich, au fait. Devrais vraiment venir ici plus souvent. Oublie tout le temps à quel point j'aime ça. Très bon thé glacé, aussi. Le meilleur en ville. Les plats du soir excellents eux aussi. Revenir peut-être demain non, j'ai pas besoin de regarder l'horloge ou de ne pas regarder l'horloge. Et non je ne suis absolument pas en train d'en faire tout un plat. L'heure qu'il est n'a tout simplement pas d'importance. J'appellerai ou je n'appellerai pas. C'est moi qui décide. D'abord encore un peu de travail, ensuite faire ce que j'ai envie de faire.

… ouais, bon, c'est difficile. M'attendais pas à autant de soucis. Un problème banal, mais quand même… Peut-être comme ça…

Ça suffit pour aujourd'hui. Pas une mauvaise journée. Pas mal de trucs jusqu'ici. O-o-o bon sang, comme c'est agréable de s'étirer.

Monsieur Barnard, s'il vous plaît.

Je suis désolé, il a dû partir tôt aujourd'hui.

Oh… Sera-t-il là demain ?

Il a dit que oui. Mais pour être franc, il n'avait pas l'air d'aller très bien alors je ne sais pas trop.

Oh… je vois.

Je peux prendre un message ?

Non, ça ira. Merci.

Oui merci… merci, merci, « merci mille, un million de fois à vous »… Quelle douce musique à mes oreilles. N'avait pas l'air d'aller bien. Me demande à quel point il allait pas bien ? Diarrhée ? Sera pas joli joli le temps de rentrer chez lui. Oh oui ! Oui ! Espérons-le. Te venge pas sur le pauvre chien.

Bien sûr qu'il a un chien. Ils ont toujours un chien. Parie que Barnard aussi... Salut mon grand, comment tu vas, eh, eh, oh laisse-moi te gratter le ventre... Ouais, laisse-moi, moi, te gratter ton ventre à toi, le ventre de la bête espèce de fils de pute. Si n'importe qui d'autre traitait ton chien comme tu nous traites tu le tuerais, sans perdre de temps tu le zigouillerais. Ouais, ils sont comme ça ces monstres, ils adorent leur chien et méprisent les gens. Prennent le temps de nous rendre la vie horrible et impossible, mais leurs chiens, oh c'est eux qui ont le meilleur morceau. Combien de personnes aimeraient être traitées aussi bien ? Des millions ! Des millions rien que dans ce pays, et dans le monde entier ? Putain ils sont malades... salauds, des millions de gosses dans ce pays qui vont se coucher sans avoir mangé, si tant est qu'ils aient un lit, et ce qu'il dépense pour son chien nourrirait ces gosses pendant un mois, ahh, à quoi bon, laisse tomber, qu'ils crèvent... me demande si j'aurais dû demander à ce type ce qui allait pas, je veux dire à quel point il était malade ? Il aurait pu trouver bizarre ma question. Ouais. Pouvais pas lui demander s'il avait la diarrhée ou s'il passait son heure de déjeuner aux toilettes assis sur le trône même si Barnard est un emmerdeur de première.

On dirait que ça va encore être une belle journée. Hmmm, me demande si c'est le même merle ? Qu'est-ce qu'ils aiment manger ? Une boutique animalière. Irai peut-être là-bas plus tard. Les pinsons sont sympas eux aussi. Vérifier qu'ils mangent les mêmes trucs. Bon… zou c'est parti.

Rien de tel qu'une douche brûlante. Quelle invention. Un des plus beaux cadeaux de l'humanité. Se doucher à l'eau brûlante, se rincer à l'eau froide. En été, en tout cas. Parfois l'hiver. Se sécher avec la serviette en frottant fort. Prêt à partir. Ce qu'il y a de super l'été c'est sécher à l'air. Ohhh, c'est génial. Tarzan sécher à l'air. Une chute d'eau pour se doucher, des lacs et des rivières comme baignoires. Faire gaffe à tous ces crocogators. Ils te modifient radicalement l'anatomie. Ha-ha, elle me plaît bien celle-là, modifier l'anatomie. Te déchiquettent. Toujours quelqu'un au sommet de la chute d'eau, qui surveille et complote. Certains de ces Bwanas étaient presque aussi vicieux que Barnard. Les indigènes étaient assez intelligents pour pas faire chier Tarzan. C'était un méchant. Les lions, les rhinos, juste lui et son couteau. Un super duplex avec ascenseur. Ferait pas long feu à Brooklyn. Arrêté pour attentat à la pudeur. Moi Tarzan, toi Juge. C'est absolument exact, et vous allez purger deux mois de prison. Essayez de vous habiller comme Beau Brummel la prochaine fois. Affaire suivante ! Hé, c'était le premier hippie. Tarzan peace and love. Non, pas maintenant. Appeler plus tard. Plein de temps. C'est exact. Absolument exact. C'est moi qui décide. L'appeler maintenant ou plus tard. Pirate Jenny avait raison. Des merles aux douches, de Tarzan à Pirate

Jenny. Coule de source. Une belle journée et tout coule de source. Ah-ah, même ce qui est absurde. Dieu merci personne écoute. J'écoute mon ventre. Ça fait un bail que j'ai pas déjeuné dans ce déli. Ouais. Acheter le journal. Se détendre. Bien sûr que je peux regarder le téléphone. Vais pas passer le reste de la journée ici à le fixer. Quand j'ai envie.

Oh, sentez-moi cet air. Très agréable. Ils ont dû fumer les peaux de banane de Tarzan. Mais ça sent bon. Peut-être que les oiseaux bouffaient les mêmes peaux. Ils aiment l'air. Ils gazouillent grave. L'air est agréable sur ma peau. Marcher vous donne le sentiment d'être en vie. Les jambes bougent, les pieds se lèvent et s'abaissent... et on avance, battements du cœur, les poumons qui aspirent l'air... et les fumées d'échappement, et la pollution. Nous maintient en vie. Le corps a besoin de poison. Sans ça, le manque. L'air sans toxine c'est mortel. Échanger votre place avec une Hunza et on y passe tous les deux. Moi ça me va. Cet air, pas de pollution, de l'eau pure, des noyaux d'abricots. Non merci. Pas même un bagel au saumon fumé et à la crème de fromage. Appelle pas ça vivre. Pizza. Pâtés impériaux. Café au lait. Je préfère la civilisation. Je suis un homme civilisé. Un produit de. Un membre de. Un souscripteur à. Un partisan de. Un prosélyte de. Le plaisir simple et extatique de la civilisation. Du style : je sens l'air et le soleil autour de moi, sens la chaleur de mon sang à force de marcher, pousse les portes et sens l'air frais, sens la bouffe, huuummmmm, entends le bruit des assiettes et des voix, vois et sens toute cette agitation. Ahh, civilisation, je t'embrasse.

Une personne ?

Oui, juste une.

Vous voulez déjà commander ?

Oui. Deux œufs, pommes de terre sautées, petits pains, et un café au lait.

Vous voulez vos œufs comment ?

Bien jaunes et bien baveux, qu'ils me regardent droit dans les yeux... Vous avez un très beau sourire.

Merci. Vous voulez un jus de fruits ?

Non. Non merci.

Le café direct ?

Oui, s'il vous plaît.

Ça arrive tout de suite.

Les mêmes gros titres que d'hab. Ah, enfin une bonne nouvelle, les Dodgers ont encore perdu. Trois matchs de suite. Je savais que je devais acheter un journal aujourd'hui. Oh super, ils ont foiré dans la neuvième. Ce type a l'air surpris. Voilà qui est incroyable. Pensais pas pouvoir aller mieux ce matin, et pourtant ça va encore mieux. Est-ce que ça veut dire qu'il n'y a pas de limite au bien-être ? Je suppose. Dans une certaine limite. Peut-être que vous vous sentez de mieux en mieux jusqu'à ce que vous explosiez ? Pas à ma connaissance. Y a toujours quelque chose qui vous éclate. Puis vous abat. On se sent jamais trop bien. Peut-être c'est ça la folie. Se sentir si bien que l'esprit explose. Peux pas supporter ça. Comment ça se fait qu'on peut se sentir de plus en plus mal ? Vous avez beau aller mal ça peut toujours empirer. Un arrangement pourri. Parfois on peut se faire respecter. Ouais. Et rebondir. Tu vois le problème et tu sais quoi faire. C'est comme si la vie était pile de ton côté. Tu te sens mal et tout va de travers jusqu'à ce que tu pètes les plombs. Tu te sens bien et tout se passe bien MAIS t'es pas obligé de péter les plombs. T'es pas obligé de laisser la vie t'abattre, de nouveau. Ouais, c'est ça. Les gens tombent et rebondissent, se redressent et piquent du nez, vont bien, vont mal, parce qu'ils n'ont pas vraiment identifié le problème dans leurs vies, ils sont les marionnettes de la vie plutôt que les maîtres de leur propre existence. C'est là qu'ils se trompent. Ils laissent la vie les hisser vers le haut jusqu'à ce qu'il n'y ait plus d'autre possibilité que tomber, zioum. Le Trou Noir de Calcutta. Les Enfers. Pas d'équilibre. Éviter les extrêmes. Le problème c'est l'excès. Soupeser la réponse. Oui. Oh, absolument, Oui ! Prendre toutes les mesures nécessaires pour éliminer le problème. Peu importe la forme que ça prend. Animal, végétal ou minable. La vie est faite de milliards d'individus. Certains créent un déséquilibre excessif. La plupart d'entre nous un peu comme ci un peu comme ça... hé, tout s'égalise. Pas avec tout le monde. Certains dépassent largement toutes les limites acceptables. C'est ça le problème. Oui. Oh oui. Faut corriger ça. Il y en a quelques-uns dont le destin est d'aider à rétablir cet équilibre. Ceux qui ont été désignés pour apporter une réponse et aident à éliminer ceux qui sont gravement « en déséquilibre ». Comme un chirurgien. Si un membre infecté menace la vie d'une personne, alors le membre doit être amputé. On est tous d'accord. La vie doit continuer à n'importe quel prix. La vie y veillera toujours. Personne ne postule à ce job. C'est la vie qui les désigne. Peut-être qu'ils n'acceptent pas tous. Allez savoir combien ? Peux pas dire. J'ai accepté. Complètement. Totalement. Je remplirai mon engagement envers la vie.

L'homme a pris conscience qu'il a été désigné pour accomplir une mission, dans laquelle il s'est déjà embarqué avec promptitude et grand enthousiasme. C'est là le fait sur lequel nous devons nous concentrer. Regardez le mouvement de ses épaules alors qu'il rentre chez lui, en battant sa jambe avec le journal plié. Quelle remarquable énergie, quelle absence de fanfaronnade. La nature même de sa démarche indique une grande humilité. Il entre chez lui et jette le journal sur le canapé, regarde un instant le téléphone, puis secoue la tête.

Plus tard. Beaucoup trop tôt. Là, ou pas là, ça ne prouve rien. Faudra juste que je rappelle plus tard. Mauvaise idée. Même voix à l'autre bout du fil. Reconnaîtra la même voix qui n'arrête pas de rappeler. Rien qui éveille le soupçon. Rien qui sorte de l'ordinaire. Dois rester en phase avec l'ordre supérieur qui me guide. Maintenant je ne sais plus trop ce que je pensais avant. Justifié? Oui. Absolument. Oui. Catégoriquement. Savais que c'était nécessaire. Désespérément nécessaire. Comment sinon compenser le mal infligé par un seul homme à tant d'autres? Bien sûr: Justifié! Nécessaire! Pas de scrupules. Pas de sentiment de culpabilité. Faire ce qu'il faut faire. Mais maintenant???? Sais pas. Quelque chose a changé. Sais pas trop quoi... ou comment... Pas vraiment. Me sens différent... en un sens. Mais me sens bien. Assez bien pour le moment. Ouais, trop tôt pour savoir ce qui se passe vraiment. Mais quelque chose me tracasse. Comme un truc sur le bout de la langue. Comme si quelque chose voulait que je sache. Essayait de me parler. Je peux le sentir. Comme un goût. Me sens plus léger quand même. Bizarre. Ai pas l'impression d'avoir perdu quelque chose. En fait... ouais, ai l'impression qu'un truc a été ajouté. Oh, oh, oh. Ça paraît dingue — Non, pas dingue du tout. C'est sain. Comment est-ce possible? Comment puis-je me sentir sain? Ai jamais pensé ainsi avant. Sain. Ça veut dire quoi? Ça paraît si juste. Je me sens sain. C'est très simple. Rien d'excitant... ou... ou de bizarre. Juste sain. Effrayant. Est-ce qu'on est fêlé si on se sent sain? Sain. Jamais pensé à ça avant. Ça semble absurde maintenant que j'y pense. Comment se sentir sain peut-il signifier que vous êtes fou? D'accord, d'accord. Assez avec ces âneries. Si ja— le dico. Ouais. Il saura. Voyons voir... bon, c'est parti... sagace, sagacité... sage, sagittaire... sagittaire, sorte de— ???. Eh bien, qui l'aurait cru. C'est intéressant. Donc, sain, qui n'est pas malade : EN BONNE SANTÉ, sain d'esprit, capable d'anticiper et d'apprécier les conséquences d'une action. Pas un mot comme quoi on est fou si on se sent sain. Sais toujours pas trop pourquoi j'ai pensé à ce mot. On dirait que je sentais qu'il manquait quelque chose. Comme quoi ??? voyons voir... qu'est-ce qui manque, qu'est-ce... bien sûr, pas hystérique. Ouais ! Sain. Pas l'hystérie. Je suis assurément capable d'anticiper et d'apprécier les conséquences de mes actes. Ouais, et comment que je peux. Absolument. Pas d'hystérie. Donc... ah ah, qu'est-ce que c'est drôle. Passer tout ce temps à m'interroger sur le fait de se sentir sain. M'étonne que ça paraissait dingue. Je dis pas non. Pas d'hystérie. Absolument. Dois demeurer anonyme. De la plus haute importance. Pas d'ego en première ligne. Tueur. Besoin de prouver quelque chose. Revanche. Vrai piège. Que le monde sache ce que j'ai fait. Hystérie. Mort. Stupide. Vraiment stupide. Ouais. D'accord... Ouais... semble plus facile. Presque comme si ça m'échappait. Hmmm... Bizarre. Très étrange. Mais semble si juste. Ouais... Ouais, passer à autre chose. Laisser courir. L'arrogance mène à l'hystérie. Ça viendra. C'est clair, je verrai quand on en sera là. Le bon moment pour se mettre au travail. Ouais, ma chérie, c'est l'heure de t'allumer. Oui, oui, oui, un peu de travail et ensuite, peut-être, un coup de fil. Quand je serai prêt.

Ohh, j'ai dû y rester pendant un sacré bout de temps, les épaules et la nuque raides. Arg, peux pas les faire tourner… un peu quand même… ohh, c'est déjà mieux. Le moment de décompresser. À croire que la bécane m'aspire en elle de temps en temps. Comme si j'avais pris un acide. Un peu désorienté. Ouais, c'est ça. Décompresser. Ne pas remonter à la surface trop vite. Ahh, voilà qui est mieux. Étirer ceci, étirer cela. On pourrait croire que j'ai été athlète et non informaticien. Peut-être les échecs. Y a des types qui courent. Je préfère marcher. T'es pressé, tu prends ta voiture. Wow, regarde l'heure. Suis resté là un bon moment.

Monsieur Barnard, s'il vous plaît.

Monsieur Barnard n'est pas là.

Oh… Il sera là bientôt ?

J'ai peur que non. Je peux vous aider ?

Naaan, je crois pas. Faut vraiment que je lui parle. Quand est-ce qu'il est censé rentrer ?

Nous n'en avons aucune idée. Il est à l'hôpital.

À l'hôpital ? (non, non, pas de chansons, pas d'alléluias) Qu'est-ce qu'il a ?

On ne sait pas trop. Empoisonnement alimentaire, peut-être.

Désolé (putain, surtout ne pas rire) de l'apprendre.

Je peux prendre un message ? Peut-être qu'une autre personne peut vous renseigner.

Non, non merci.

Il ne rentrera peut-être pas très vite.

Ça peut attendre.

Oh oui, oh oui, ça peut attendre… Et attendre et attendre et attendre. Oh, j'aurais dû lui demander comment il avait été empoisonné. Sûrement cette cafétéria pourrie. L'Hygiène devrait exiger sa fermeture. Peut-être qu'il va leur faire un procès. Ou ses héritiers. Ses héritiers et consorts. Quelle journée, non mais quelle journée. « Oh quelle belle matinée », matinée, après-midi quelle différence, les Dodgers ont encore perdu et Barnard est à l'hosto. Oh les beaux jours sont revenus. Ouah, mieux vaut se calmer un peu, les voisins risqueraient de se demander à quoi rime tout ce boucan. Trop tôt pour faire la fête, pourraient croire qu'on est en train de m'assassiner. Je m'assassine tout seul. C'est tellement merveilleux… incroyable, absolument incroyable. J'espérais… essayais de ne pas espérer mais espérais, gambergeais, gambergeais, mais là ça dépasse toutes mes attentes. Je ne me rappelle pas m'être senti aussi heureux, aussi rempli d'allégresse, aussi… aussi solide… aussi excité… ouais, c'est incroyable… aussi excité et rasséréné. Tout ce travail, les recherches, les préparations, la paperasserie, la peur incroyable et ça a marché. Tout a marché. Je me sens si… si… dans mon droit, validé. Ouaiiiiis validé !!!! Tout se met en place. Il n'est pas encore mort, mais je sais ce que je fais. Je l'ai fait. La culture a marché. Ça a marché. Je peux en refaire n'importe quand. Peut-être qu'il est mort pour de bon maintenant. Me sens comme Zorba le Grec qui danse, tournoie, c'est moi Zorba… Oui… Va-li-dé. Les dieux sourient et brillent.

Valider. Vali— non, un instant… un instant… ouais… Oh ouais, je suis pas seulement validé, je suis approuvé. OUAIS OUAIS OUAIS APPROUVÉ!!!! Ouah, mieux vaut se poser sur le canapé et rester tranquille un moment, j'ai le tournis à force de tourner en rond. Fini Zorba. Fini tout. JE SUIS APPROUVÉ! Oui! Bien sûr, c'est ce que je ressentais, c'était ça que j'avais sur le bout de la langue, ce truc que je sentais. Ohh, mieux vaut se calmer et vite. Pas d'hystérie. Sain. Oh quel bonheur. Vraiment. Approuvé. C'est bon, c'est bon, un peu de lest… inspirer… expirer… inspirer… expirer… C'est cela. Du calme. D u c a l m e… Bien. Oh, le journal. J'ai pas lu les pages comiques. C'est ça. Cool. Juste inspirer expirer. Ouais… mérite qu'on fête ça. On se détend. Le journal ça aide. Du blabla sans importance. Page après page. Et puis merde. Ha ha, c'est vraiment drôle. Je lis les nécrologies. M'en étais pas rendu compte. C'est merveilleux. Serais incapable d'écrire un truc pareil. Qui y croirait. Trop bébête. L'ai jamais fait. Premier signe de sénilité. Les nécros. Suppose qu'ils aiment se dire qu'ils ont gagné. Encore là pour lire les nécros. Ouais. Ben moi je peux pas attendre. Pourrais appeler l'hôpital. Plus tard. Sais pas, ils me diront peut-être qu'il est mort. Je suppose qu'ils en parleront. Il était suffisamment pourri pour qu'ils fassent son éloge. Un filet gras autour. Peut-être en couleurs. Bordure magenta. Police bleue. Oh ouais, des fleurs et des papillons autour des coins. Des limaces et des sangsues seraient plus appropriées. Non, nous ne dirons pas du mal des morts. Pourquoi s'en faire ? Juste de savoir qu'il est mort me suffit. Définitivement mort. Bon qui c'est qui est mort ? Hmmm, pas un seul nom de connu. Et chaque fois un « bien-aimé » leur survit. Mari, femme, enfants, chiens, chats, percepteurs d'impôts... Fabuleux le nombre de gens qui s'aiment dans les nécros. Plus facile ici que partout ailleurs. Et ça laisse un chien. Qui a payé l'avis de nécro ? La SPA. Toute mon affection, Fido. Son chien va le regretter. Espère que sa femme – sa veuve – va fêter ça. Pas même lui payer une pierre tombale. Le balancer dans un trou. Ouais... toutes les épouses aiment tous leurs défunts maris. Ben voyons. Mais quand ils étaient vivants ? Je les imagine en train de le regarder, allongé dans son cercueil, et lui dire Je t'aime. Oh ouais. Je t'aime. Tu fais battre mon petit cœur, bing-bong-boïng, chtonk. Que diriez-vous d'un *Je t'aime* bien sonore à la James Earl Jones ? Pour moi c'est bon. Tarés de l'immolation. Y a des femmes qui sautent dans la tombe. Vrai de vrai. Quelle tradition... condamnation. Ton mari est mort alors brûle sorcière. Le monde est fou. Même morts ils contrôlent leurs femmes. Ouais, la mort peut perpétuer la tyrannie. Créer des martyrs. Purifier les tyrans. La mort n'est pas pour l'égalisation. Préfère magnifier. Pas mal de trucs investis dans la mort. Systèmes de croyance. L'au-delà. Charabia. Louons maintenant les vertus de cet homme noble et raffiné, qui s'est efforcé si généreusement de faciliter la vie d'autrui. Qui... qui... où, où???? Me demande ce que tu ressens? Pas aussi engageant, maintenant. C'est mieux de vivre. T'entends les gens pleurer??? rire??? la terre sur le cercueil? Trop flippant. Qui est mort est mort. Enfin, bon, il est pas mort... pas encore. Bientôt. Rien ne presse. Ça fait mal un coma? Doit être indolore. Me demande. Non, pas besoin de souhaiter ça. L'acte est juste, tout comme le résultat. Assez. La vie continue. Ce qui suit est peut-être juste aussi. Son remplaçant sera peut-être juste. Possible. Plus rien ne le concerne. Je suis libéré de lui et du tourment. Me donneront peut-être aucune info. Peux toujours appeler, mais bon... Me demande ce qui fait qu'un homme devient comme ça. Crée tellement d'ennuis aux autres. Suppose qu'il s'en fiche, c'est tout. Et maintenant, il comprend? Va-t-il prendre conscience? L'apprendre quand il sera mort? Inutile. Bon, ouais, si la réincarnation existe. Ça se passe comment, il revient en lépreux? Fini. Pas de clochettes. Revient sous forme de camion de glacier. Ouais... ding-dang-dong. Allez quoi, j'ai bien le droit. Je commence vraiment à avoir la bougeotte. Ferais bien le tour du parc. Histoire de voir. Pas tentant. Soudain mollasson. Léthargique. Mais c'est quoi ça???? Faut que je me bouge le cul. Besoin de manger. Ça me fera du bien. Ai pas trop envie de manger. Mais faim. Préparer quelque chose ou aller au restaurant semble impossible. À croire que je préférerais crever de faim que de me remuer. Zut. C'est dingue. Les yeux lourds. Mais pourquoi diable serais-je fatigué ? Plein d'énergie y a pas une minute. Ouais... je suppose... mais me sens trop fatigué pour appeler. D'ici une minute peut-être. M'en fiche. Pas si important, non ? Merde ! me sentais si bien et paf, arrive pas à me lever du canapé. Comme cloué. Les jambes qui pèsent une tonne. Bon sang, comme quand je voulais me tirer une balle dans la tête. Enfin, grosse différence. Mais le corps dans le même état. Aucune raison d'être triste. M'est tombé dessus comme ça. Une fois de plus, en un rien de temps. Mais pas déprimé. Pas vraiment. Juste mollasson. Je pourrais commander une pizza. Pourquoi pas ? Dans une minute. Ouais. Mieux que de sortir. Ouais, c'est ça, je vais appeler... mais pas tout de suite. Il sera là dans une heure environ. Non, bien sûr que non. Je n'ai pas peur de découvrir ce qui se passe. Soit il est mort soit il est vivant, et ils vont me le dire ou pas me le dire. Simple. Non, pas peur d'appeler. Rien à craindre. Bon sang, c'est pas si grave. C'est ridicule. Rester là à débattre d'un stupide coup de fil. Je crois que j'ai vraiment faim.

Marios Pizza

Bonjour. Je voudrais commander une pizza medium, avec supplément ail.

Supplément ail.

Ouais.

Pas de supplément fromage ou autre chose, c'est cela ?

Non. Juste de l'ail.

Coca, Pepsi ?

Non, non. Juste la pizza.

C'est noté. Votre adresse ?

626 Selby Avenue.

20, 25 minutes.

Bien.

Me sens déjà mieux. Je devais avoir plus faim que ce que je croyais. Et voilà que je regarde l'horloge une fois de plus. Tant pis. C'est moi qui décide après tout.

Hôpital des Anciens Combattants, j'écoute.

J'aimerais prendre des nouvelles d'un patient.

Quel est son nom ?

Barnard. Monsieur Barnard.

Un instant s'il vous plaît…

Vous êtes un membre de la famille, monsieur ?

Non. Juste un ami.

Monsieur Barnard est toujours en soins intensifs.

Est-ce que ça va… ? Je veux dire, est-il… ?

Je n'ai pas d'autre information, monsieur. Il faudrait que vous contactiez un membre de la famille.

Oh, je vois. Très bien. Merci.

Bonsoir monsieur.

Donc, en soins intensifs. C'est pas mal, ça. Oui. Pas mal du tout. Pas d'information. Encore mieux. Rien de critique. Pas dangereux. Pas stable. Pas rien du tout. Bon signe. Passera ou passera peut-être pas la nuit. « Avec un peu de chance, avec un peu de chance, avec un petit peu de chan-an-ce. » Appeler demain. Peut-être plus tôt. On verra bien. Pas s'inquiéter pour ça. Aller au café et tendre l'oreille. Ils seront au courant. Quelqu'un de son bureau saura. Pas de secrets là-bas. Wow! Ouais! Peut-être que le café est fermé. Possible. Empoisonnement alimentaire. Pourrais aller voir. Mieux vaut ne pas manger là-bas. S'il s'est fait empoisonner là-bas. Plus prudent de — Ahh, la pizza.

Bon… une autre journée, un autre dollar, comme dit le proverbe. Et ce qui est valable pour le Maine l'est pour la Nation. Exact. Exact sur toute la ligne. Mais pas aujourd'hui. Ah, aujourd'hui. On y est. Alors il se passe quoi maintenant? Je me lève et je vais pisser, puis sous la douche, ensuite… ensuite on verra ce qui se passe. Tiens, ils sont toujours là à chanter. Doit être une belle journée. Pense pas que j'ai rêvé. Me sens revigoré. Super forme. Les pinsons gazouillent leur *basso continuo*, les merles volent en rythme avec la mélodie. Hé, elle est bonne celle-là. Écoutez-moi ça : « Écoutez le merle, écoutez le merle, et le » — je t'ai vu gros matou qui essaie de te rapprocher de ce merle, fais gaffe — hop, et voilà, il s'en va, sautille… la prochaine fois, essaie, si tu l'oses — Hé,… ouais, ça me plaît bien ça. Essaie si. SSI. Ouais. Salle de Soins Intensifs. Libérez, libérez, libérez le SSI! Ceci, cela, si c'est SSI c'est pas ici!!! Les… du SSI… l'équipe SSI des… des quoi? Des Spartiates? Des Troyens? Des Capotes? Pas mal. Des lynx? des minous? pas assez macho. Allez, libérez les vieux minous? Ouais, c'est ça. Ou alors les Malabars ? les Baleines ? Hé, c'est assez pour aujourd'hui. Bon, d'accord, on laisse tomber. Les Pélicans ? Ça existe les Pélicans ? Je sais pas. Doivent pas trop chanter. Je suis un Pélican du SSI. Pas trop la pêche, hein ? Les Canards ! Bon sang, qui voudrait aller à l'école et se faire appeler « Canard » ? Un Spartiate ou un Troyen, d'accord. Même un Capote. Mais Canard ? Tirez dans les coin-coin ! Ouais, des tueurs. Les Crabes. Les Homards. Les Estropiés ! Hé, c'est ça, les Estropiés du SSI. Du cran ô grands Estropiés, battez-vous pour le SSI. Ouais, ouais, ouais. Battez-vous ô puissants Estropiés, battez-vous pour le SSI. Ouais... mais tu ne me vois pas. Personne me voit. Personne m'a vu, a vu, voit, verra. Pas de « vu ! », le SSI. Pas même de cow-boy solitaire qui galope vers le soleil couchant. Ou le soleil levant. Dépend de la situation. Si ça prend toute la nuit pour éliminer tous ces salauds. De toute façon, il avait son fidèle Indien Tonto. Lui honnête Indien, mais mieux vaut que personne ne sache. L'Ombre aussi, mais Margo Lane ???? Vaut mieux pas. Regardez ce qui est arrivé à Jesse James. John Dillinger. Benny One Balle. Des cas tragiques, tous autant qu'ils sont. J'crois que ce matou va devoir se trouver des souris. Avais pas pensé à ça, les Rats du SSI. Égalité des droits pour les rats. Bonne cause. Les chiens. Les matous. Les chevaux. Les éléphants. Les aigles. Gratte-couilles plein de poil. Patati et patata. Chaque créature a quelqu'un pour la protéger. Même les gens. Mais tout le monde se fout des rats. Le rat du livre du mois. S'envolera pas. Ce chat s'y prend pas mal. Ici tous les jours et il est bien nourri. Ouais… c'est l'heure d'aller manger un truc. Une autre balade matinale… enfin, pas si matinale que ça. Mais le matin. C'est parti. Chaque fois je mange là-bas. Ça me réussit. Des œufs bien jaunes et bien baveux, des toasts au blé complet, café au lait, et… le journal. Oui, deux fois oui. *Andiamo.*

Un agréable petit déjeuner. Un agréable moment. Des gens vraiment sympas. Beaucoup de sourires. Devrais revenir demain. Des bruits de verre et de couverts. Sympa. Plutôt réconfortants, ces bruits. Chouette odeur aussi. Hé, les Dodgers ont encore perdu. Si je mange là-bas deux fois par jour est-ce qu'ils perdront deux fois par jour ? Faut que je vérifie. Et puis zut, un match par jour c'est très bien. Davantage et ça serait un record. On les veut surtout pas dans le Guinness. Pense que je vais faire le tour du block. Plutôt chouette, les Estropiés du SSI. Les Estropiés et leur chant guerrier. Y a quelque chose de formidable là-dedans. Les Capotes du SSI c'est pas mal. Bof. Les estropiés. Et personne ne sait rien. Moi même si ça se trouve j'en sais rien. Voilà qui est peinard. Pas besoin de se sentir à l'abri de quoi que ce soit. Les empoisonnements alimentaires sont nombreux. Ça arrive tous les jours. L'Hygiène est trop laxiste dans ses inspections. Inefficacité des agences gouvernementales. Combien de morts pourraient être évitées chaque année si le gouvernement faisait son boulot? Un chiffre astronomique. Quelle honte. Tous ces fast-foods bourrés de gosses. Qui ira faire le rapport? À vingt ou trente ans ils sont déjà détruits de l'intérieur. Peut pas bouffer ce poison toute sa vie. S'ils nettoyaient ces endroits ça économiserait des milliards en frais médicaux. Devraient faire un rapport. Ahh, à quoi bon? Beaucoup de bruit et de rhétorique et au final tout est dans les mains d'un bureaucrate comme Barnard. Coucou Barney du SSI. L'impression que je pourrais marcher toute la journée. Vaut mieux rentrer. Se mettre au boulot. J'ai marché un bon moment. Me sens bien. Le travail m'appelle. En selle. Comme d'aller voir un ami. Le cliquetis et le bourdonnement quand vous l'allumez. Mieux vaut bosser chaque fois que c'est possible. Peux pas prédire l'avenir. Les circonstances risquent de m'empêcher de travailler un certain temps. Possible. Bref, si ça vous plaît faites-le. Hé, elle est bonne celle-là aussi. Devrais faire une liste de ces trouvailles. Les déposer ou je sais pas trop. On peut pas gagner sur tout. Y a des gens qui y arrivent. Apparemment. Incroyable la façon dont les gens se font du fric. Me demande si ça leur plaît? Probablement le défi. Sûrement. Ouais… sûrement. C'est ça le truc. L'argent sans le défi? À quoi bon? Si ça vous plaît pas le faites pas. La réciproque évidente. Et puis zut, c'est bien aussi. Quelle merveilleuse chose que la vie parfois. Bon sang… me réveille en chantant. Douche brûlante. Une balade par ce beau temps… un temps parfait. Rue magnifique. Chat et oiseaux en harmonie. Ouais… sûr. Tant qu'un oiseau a l'aile rapide. M'abîmer dans le travail. Comment les gens peuvent-ils nier l'existence de dieu ? Folie. L'ordre divin est tellement évident. Ça se pourrait. Ça se pourrait que l'ordre divin soit perception. Je suppose que c'est inexorable et inévitable. Oh et puis, une simple bagatelle. Bats-toi, bats-toi, bats-toi pour le SSI, bats-toi pour vivre ou mourir. Et E, et S, et T, et R, et O, et P, et I, et É, et S, et ESTROPIÉS – IL FAUT LUTTER ! La mort avant le déshonneur. Jamais intimidés par l'ennemi. C'est nous les joyeux estropiés. Toujours plus loin, toujours plus haut. Excelsiorrr !!!!

Je regarde dans les yeux de cet homme, j'examine son cœur, et je ne lui trouve aucun défaut. Certains désapprouveront une bonne partie de ce qu'il dit, et pourtant je ne lui vois aucun défaut. Je ne le juge pas. Il marche, jouit de la matinée, rentre chez lui et s'assoit devant son ordinateur, travaille, et très vite le voilà occupé à résoudre les problèmes et à répondre aux questions qui se présentent à lui en cette belle matinée. Il va continuer de travailler jusqu'à ce qu'il décide d'arrêter ; il appellera l'hôpital quand il l'aura décidé. C'est lui qui décide.

Incroyable, déjà trois heures. Tempus fugit super vite. Bon… cette sensation, c'est de la faim. Un de ces jours j'y prêterai attention. Ouais, c'est clair. L'esprit peut pas être à deux endroits à la fois. Je ferais mieux de manger. Trop tard pour le déjeuner. Pourrais attendre encore deux heures. Dîner tôt. Eh puis merde. Est-il plus sain de déjeuner tard ou de dîner tôt ? Interroger le moteur de recherches. La tête encore prise par le travail. Pourrais regarder quelques Bugs Bunny. Perdre une demi-heure pour apprendre qu'il est pas là. Paraît stupide d'appeler maintenant. Sais pas. Attendre. Avoir les dernières infos. Ouais, chaque fois que j'appelle j'obtiens les dernières infos. Le même refrain, chaque fois. Toujours demain. La vache, l'idée de manger ne me quitte pas. Ouais, j'ai faim.

Hôpital pour vétérans, quel patient demandez-vous ?

J'aimerais savoir comment va Mr Barnard s'il vous plaît.

Un instant je vous prie… Je suis désolé monsieur, il n'y a pas de Mr Barnard ici.

Vraiment ? Il était en soins intensifs (coucou) hier.

Je suis désolé monsieur. Ce nom ne figure pas sur la liste des patients. Vous devriez peut-être voir avec son médecin ou sa famille.

Oui… d'accord. Bon, eh bien merci.

Du calme. T'excite pas trop. Il va peut-être bien et on l'a renvoyé chez lui… Ou alors transféré dans un autre hôpital, ou elle s'est trompée, elle a pas vu son nom. Des tas de possibilités. Inutile de s'exciter. Calme. Pourrais aller au café et écouter ce qui se dit. Mais ça m'étonnerait. Ils mangent c'est tout. Toujours demain. (Luttez, luttez, luttez pour le SSI.)

Aller à l'hôpital. Faire quoi ? Allons, anonymat. Hé, une seconde... ha ha, ouais... bien sûr, les nécros. Laisse un chien affectueux nommé Crip, qui est resté devant sa tombe, résistant à tous les efforts pour l'emmener, ignorant la nourriture et l'eau qu'on lui apporte, étendu sur l'herbe de la tombe, à gémir, à dépérir de plus en plus à chaque jour qui passe, hurlant de temps en temps à la lune puis retombant soudain dans le silence comme s'il attendait que la voix de son maître bien-aimé parvienne à ses oreilles inquiètes depuis la tombe fraîchement comblée, jusqu'à ce qu'épuisé par la faim et la déshydratation il ne puisse plus résister aux tentatives faites pour l'emporter et soit arraché de son guet et déposé dans la camionnette garée dix mètres plus loin. Crip a été le seul à assister à son enterrement. On raconte qu'il y a eu des fêtes dans toutes sortes d'endroits y compris les jardins et les centres sociaux, ainsi que dans diverses organisations de vétérans. Ils ont tous observé un moment de silence pour Crip. Ouais, un C, un R, un I, un P. Ouais, absolument, un P pour que je puisse péter sur sa tombe. Whoa... on se calme. Prématuré. Allons, du calme. Sais pas ce qui est arrivé. Bon, inspirer... expirer... inspirer... expirer... Pas d'hystérie. Ça fait faire des erreurs. Voire tragiques. On verra bien. D'accord. Voilà qui est mieux. Encore un peu à cran, mais mieux. Inspirez... Expirez... C'est bon. Non. Pas l'hôpital. Sûrement pas dans le journal du soir. Rappelle-toi, va très bien si ça se trouve. En train de promener

Crip. Les infos ? Possible. Parlent en général des empoisonnements alimentaires. Ils adorent ça. Des détails. Adorent les détails. Des millions de morts par an. Voyons voir. Info locale, c'est mieux. Un accident de voiture impliquant quatre véhicules ? Ouais. Non, non, y a encore une autre voiture là-bas... Ohhhh, regardez-moi ça... Oh non, c'est horrible. Une telle violence. Dégoûtant. Ils croient vraiment que c'est la seule chose qui intéresse les gens ? Des épaves sur l'autoroute... les portes de la vie... des types soûls qui écrasent des piétons... des flics qui tabassent des gens... des gens qui se tirent dessus... des gosses qui trouvent le flingue de leur père et flinguent leurs amis... et ça continue... Peut pas être la seule chose qui se passe en ville. Lâchez-nous un peu. Doit bien y avoir un truc positif digne de faire les infos. Et la fameuse petite vieille avec des tennis aux pieds ? Qu'est-ce qu'elle fait aujourd'hui ? Elle nourrit les pigeons dans le parc ? Les empoisonne ? Bute des pit-bulls ? C'est presque aussi bien que l'homme qui mord le chien. Ouais, et le meilleur ami de l'homme ? A traversé tout le pays pour trouver sa famille. S'est perdu dans le New Hampshire et les a suivis jusqu'à Mexico. À ce jour nul ne sait comment il a fait pour ne pas finir dans un taco à Tijuana. Ou alors un chien qui a sauvé une petite chatte ? Un truc dans ce genre. Peux pas me taper ça le ventre vide. Vite, dehors. Ah, la paix et le calme. Finis les meurtres et la panique. Pas ici en tout cas. Chez Pete. Ouais, une bonne idée. Je meurs de faim.

Veau à la picatta. Linguine et clams. Sais pas. Faut être prudent avec les fruits de mer. Pollution. Verrai ce qui me fait plaisir quand je serai là-bas. Je suppose. Mais dois pas m'attendre à quoi que ce soit dans le journal de ce soir. Possible… mais le garder pour le matin. Plus de chance alors. Le garder. Que demain soit comme Noël. Je vais peut-être accrocher mon bas. Entonner des chants de Noël. Eh merde. Vais pas enfiler un costume de père Noël au petit déjeuner. Pas très anonyme. À cette période de l'année. Pourrais toujours prendre l'aubergine au parmesan. Ça fait longtemps. D'abord une soupe au minestrone. Bonne idée. Meurs de faim.

Tant de travail, tant de recherches approfondies et intensives, un tel investissement sur la longueur, sans jamais hésiter, et cependant, à présent que le résultat est encore inconnu, il vit chaque jour comme si c'était le dernier jour de sa vie, et le premier jour du reste de sa vie, chaque moment, chaque battement de cœur, chaque inspiration est une célébration. Oui, force m'est de reconnaître que je suis admiratif devant cet homme et son engagement, et sa capacité à maintenir un équilibre aussi délicieux. Encore une journée bien remplie.

Comme d'habitude ce matin monsieur ? Des œufs au plat bien baveux ?

Ça a marché jusqu'à présent alors pourquoi changer ?

Marché ?

Je suis toujours vivant.

Oh. Oui. Je vous apporte votre café au lait dans une minute.

Merci.

Bon, pas la peine de tourner en rond et de jouer au malin. Aller droit à la jugulaire. Ainsworth, Allen… bingo ! Ouais. Le voilà. En noir et blanc. Doit être vrai. Et un B, et un A, et un R, et un N, et un A, et un R, et un D. Barnard, mon chéri. Oh Barnard tu me tues. Ou c'est le contraire ? Oh mais c'est merveilleux. Vraiment merveilleux. Ça a marché. Ça a vraiment marché—

Voici votre café au lait monsieur. Dites donc, vous avez l'air heureux ce matin.

Ça se voit ?

Oh oui. On dirait que vous allez danser la gigue. Faites attention en buvant votre café.

Oh c'est évident.

Vos actions ont dû monter en flèche.

Mieux que ça. Beaucoup mieux que ça.

Ça doit être d'enfer.

Oh oui. Tout à fait.

Je vous apporte tout de suite vos œufs.

Très bien, on se calme. On fêtera ça à la maison. Doit sauter aux yeux. Non. Mange ton petit déjeuner. La routine. Pas de déviations. Toujours anonyme. Important. Ne pas oublier. Impossible de faire le lien avec moi. Au pire empoisonnement alimentaire. Iront jamais penser que quelqu'un est responsable. Pas de connexion. Enquêteront sûrement sur le café. Me demande ce qu'ils penseront s'ils trouvent rien là-bas ? Suppose qu'ils iront voir si quelqu'un d'autre est tombé malade. Risque de trouver bizarre qu'il soit le seul. Me demande bien. Pourrais en mettre un peu dans les salades. Ça en ferait deux de plus. Y aurait pas de soupçon alors. Concluant. Barnard pas la cible. Le hasard. Ouais, surtout après un bout de temps. Peux pas faire ça. Barnard c'est une chose. Des innocents non. Arrive à peine à rester en place. Juste finir ce petit déjeuner. Le même pourboire. Aucun lien avec moi. Même s'ils se disent que c'est délibéré. Il ignore même — ignorait même combien de gens il avait bousillé. Impossible de vérifier des milliers de noms. Excusez-moi, monsieur, je m'appelle Horatio Q. Pinkerton et j'enquête sur le décès d'un certain Harry Barnard.

Harry Barnard ?

Oui. Il travaillait au ministère des Anciens Combattants. Bureau des avantages.

Le décès ?

Oui, monsieur, il est mort. Complètement, absolument, et, j'ajouterai, autant qu'on puisse en juger, irrévocablement.

Oh.

Je ne pense pas que vous sachiez quoi que ce soit sur sa mort.

J'ignorais même qu'il était malade.

Oui... bien... il l'était. Plus maintenant bien sûr.

Bien sûr.

Dommage. Dans la fleur de l'âge. Une grande perte.

La famille doit être bouleversée ?

Non. Sont allés à Disneyland, je crois. Ou bien Disneyworld ?

Oh.

C'est son chien. Crip. Le cœur brisé. N'a rien mangé depuis qu'il est allé à l'hôpital. Enfin, Harry Barnard je veux dire, pas le chien.

Je vois.

Merci monsieur, vous m'avez beaucoup aidé.

Tout le plaisir est pour moi... Oh que oui, mon plaisir. Plaisir, plaisir, plaisir. Et un P, et un L, et tout ce qui va avec. Dois vraiment sortir d'ici. Voyons voir... oui, tout est comme je le laisse d'habitude. Même pourboire, même endroit. Très bien. Sourire à la caissière...

Bonne journée.

Merci monsieur. Vous aussi.

Oh comme c'est agréable d'être dehors. Dehors, dehors. Lumière fantastique dans la rue. Me doutais pas que je ressentirais ça. Entêtant ! J'ai envie de crier. C'est bon, j'ai le droit d'avoir envie de crier. Ça n'embête personne. Je vais pas le faire. Je vais pas le dire à quelqu'un. Même si je dois même pas envisager de le faire. Pas directement. Peut-être une allusion. Peux pas faire ça. C'est pour ça que certains se confessent ? Pas la conscience, juste un besoin d'en parler à quelqu'un. Leur raconter les préparatifs, l'exécution, les résultats. Un besoin puissant. Pas se confesser. Juste parler. Il doit exister des façons. Pourrais aller dans un bar ou ce genre d'endroit. Les gens parlent toujours à des inconnus dans les bars. Peuvent pas savoir qui vous êtes. Mettre une moustache. Porter des lunettes à monture en corne. Se peigner différemment. Ouais, bien sûr, et après ils apprennent ça aux infos. Même ainsi, ils pourraient jamais faire le lien entre Barnard et moi. Mieux vaut continuer de marcher, suis tout tendu. Continuer à bien respirer. Inspirer… expirer. Continuer comme ça. Ne pas souffler mot. Peut-être Crip. Wow, quelle idée du tonnerre. La seule… créature qui a de la peine. Une façon géniale de vous décharger l'âme. Supposons qu'il comprenne ce que je raconte ? Me perce à jour avec son odorat ? Un homme agressé par un chien. La une des journaux. Je pourrais passer à la télé. Pas besoin de ça. Bon dieu. Ça devient insupportable. À croire que je vais exploser. Dois relâcher la pression. Inspirer… expirer… Si je pouvais sauter ou bondir ou juste faire une pirouette ça me soulagerait. Le faire quand je serai rentré. Une paire de collants. Zou c'est parti. Marcher hyper vite. Nécessaire. Pas question de ralentir. Pas maintenant. Fais dodo Colin mon petit frère. J'ai la gorge toute desséchée. Les jambes qui fatiguent. Faut que j'arrête de penser à ces cabrioles. Et puis merde, je m'arrête ici une minute. La gorge vraiment desséchée.

Bonjour. Que puis-je pour vous ?

Sais pas. Un truc à boire.

Scotch & soda… allongé ?

Bonne idée.

On se promène ?

Ouais… on pourrait appeler ça comme ça.

C'est mieux à cette heure. Trop chaud l'après-midi. Et voilà. Sympa les glaçons, non ?

Euh… oh oui… oui, c'est clair. Mmm, fait du bien.

Vous buvez pas beaucoup, hein ?

Boire ? En fait, non.

C'est bien ce que je pensais.

Ah ?

Ça fait plus de vingt ans que je suis barman, et d'habitude quand un type entre dans un bar avant midi il fait peine à voir.

Fait peine à voir ? Je ne comprends pas.

Pas de mystère. En général ils ont la gueule de bois et la tremblote et ils ont besoin d'un verre pour se requinquer. Vous, vous avez juste l'air d'avoir soif.

Oh… oh, je vois. Eh bien, oui, j'avais soif. J'ai fait une petite balade après le petit déjeuner et je crois que j'ai un peu trop marché.

Ça m'arrive aussi. Je commence à penser à des trucs et voilà que je me retrouve je ne sais où.

Je ne sais où… ouais, ce genre. Je pensais au livre que je suis en train de lire. Fascinant. Ça parle d'un type qui veut tuer quelqu'un, et qui s'arrange pour que ça ait l'air naturel.

Oh, genre la CIA, hein ?

Si on veut. Je sais pas. Mais c'est un type ordinaire, d'accord ?

Oh, genre une vengeance.

Pas exactement. Il mérite juste qu'on l'élimine. Il fait du mal à trop de gens.

J'ai pigé, un peu comme une euthanasie.

Eh bien, je crois qu'on peut voir les choses sous cet angle. Oui. Et bon bref, il apprend comment cultiver de l'E.coli et de la salmonelle et il en verse dans son café.

Sans déconner ? Comment il s'y prend ?

Au travail. Hyper simple. En fait il travaille dans un labo... dans une fac. Bien sûr il fait très attention. Des containers scellés. Quand il n'y a pas d'étudiants dans le coin bien sûr.

Aussi facile que ça ?

Ouais. Enfin, c'est ce qui est dit dans le livre.

Intéressant. Et il verse le truc dans le café de ce mec, c'est ça ?

Exact. Il sait où le type va déjeuner le midi, il se glisse derrière lui et en verse dans sa tasse. Pas très compliqué.

Est-ce qu'il s'en sort ? L'autre type meurt je suppose.

Oh ouais il meurt. Personne ne sait ce qui s'est passé. Il tombe malade et il meurt.

Bon, et est-ce que l'assassin commet l'erreur de se pointer à l'enterrement ou je sais pas quoi et quelqu'un le repère ? Attendez... il s'en met sur les mains et meurt lui aussi. C'est comme ça que ça finit ?

Non. En tout cas pas pour l'instant. Je veux dire, je ne l'ai pas encore fini mais jusqu'ici le type qui fait ça est toujours vivant. Toujours anonyme.

Eh bien, jusque-là ça va, non ? Vous en avez lu beaucoup ?

Oh… je dirais la moitié.

Donc ce type a encore largement le temps de merder, hein ? En général un petit truc qu'il a jamais remarqué, vous savez comment c'est. Le succès lui monte à la tête et il commet des imprudences, ou il a une histoire avec une femme. Toujours la cata dans ces situations. Surtout dans les films, putain ces nanas causent de ces ennuis…

Eh bien, jusqu'ici il n'est pas question de femme… dans le livre, je veux dire.

Et ce type qui se fait tuer c'est un beau fumier, c'est ça ?

Oh oui, il a fait du mal à des tas de gens.

Il faisait comment, il leur volait la peau du dos ?

La peau du dos ?

Vous savez, un usurier.

Oh non. Il travaillait aux Anciens Combattants. Rendait la vie de milliers de vétérans horrible, leur refusait leurs avantages, ce genre de trucs. Une personne vraiment horrible. On finit vraiment par le détester.

Ouais, y a plein de raclures qu'il faudrait éliminer. Content de savoir que quelqu'un a écrit un livre sur ces fumiers.

Moi aussi. Je pense que je vais bientôt le finir.

Vous me direz comment ça se termine — un autre ?

Hein ? Oh non. Ça me suffit. Je sens déjà les effets. Faut que je rentre.

D'accord. Bonne journée.

Vous aussi.

Nous y voilà, encore une rue et je suis chez moi. Les barmen entendent toutes sortes d'histoires... J'en suis sûr. Le reverrai jamais. Même s'il a des soupçons. Une histoire qui se tient pas. Facile à vérifier. Pas de lien. Ça en reste là. Rien à voir avec une conscience coupable. Pression. Sentiment d'accomplissement. Besoin d'en parler à quelqu'un. Ego. C'est de ça qu'il s'agit. Que de l'ego. Se vanter pas se confesser. Les prêtres le savent bien. Connaissent même pas celui qui parle. Peuvent pas le voir. Vous pouvez le dire à un prêtre et vous risquez rien. Dingue. Peut pas leur faire confiance. Mieux vaut faire confiance à un homme politique bon sang. De l'eau. Oh, c'est agréable. Pense pas avoir jamais eu aussi soif. Pas trop envie de bosser. Comme si cette balade m'avait calmé. Commence à me sentir un peu bizarre... dégonflé je dirais. Je vais bien. Sais pas quoi faire maintenant. Envie de quelque chose. Peut-être un film. Non, ça ne m'emballe pas trop. Rien qui fasse réfléchir. Ou préparer. Ouais, je crois que c'est ça. C'est fini d'une façon. Pas envie que ça soit fini. Quelque chose d'inachevé... qui manque. Me sens vraiment désœuvré. Oh bon sang, j'ai même pas envie d'allumer ce truc. Sais pas quoi faire de ma peau, du tout. Très bien, regardons ça. Y a deux mois mon énergie était concentrée sur Barnard et maintenant tout ça c'est fini. Mais pas bouclé. Ouais, aussi simple que ça, pas bouclé. C'est fini… il est mort… Toute cette histoire est du passé. Il ne reste plus rien à faire. Il n'est plus dans les parages. Pas besoin de penser à lui. Il n'embêtera plus personne. C'est un bon point. Un très bon point. Des tas de vétérans vont être heureux en apprenant ça. Aimerais tous les inviter à dîner pour leur dire. Voir leurs visages. Les grands sourires. Écouter les blagues. Les cris de joie. Toutes les histoires sur Barnard… et alors ce fils de pute a fait ceci… et cela… Ouais… satisfaction. Ce manque. C'est l'accomplissement qui permet de s'en rendre compte. Vous bossez super dur pour accomplir quelque chose, puis vous réussissez et c'est comme si vous n'aviez plus de raison de vivre. Comme si on m'avait demandé de faire le guet puis mis à la retraite. Les gens vivent puis prennent leur retraite. Ma vie n'a pas perdu son sens maintenant que cette… cette… situation est finie. C'est dingue. Demeurer anonyme. Les funérariums remplis de gens. Mais qui le remarquerait ? Des tas d'inconnus. La famille ne connaît pas les collègues. Garder la tête baissée. Ne parler à personne. Pourrais mettre une grosse moustache. Et une perruque. Qui donc — c'est dingue. Absolument aucun lien. Perruque et moustache. Folie. Trop facile de retrouver les boutiques qui louent ces trucs. Accessoires de théâtre. C'est un empoisonnement alimentaire. Quoi de plus louche que d'acheter une perruque et une moustache ? Y aller, c'est tout, et regarder le cher défunt. Ne pas signer le livre. Le livre des morts. Du mort. C'est exact. Barnard est mort! Ce n'est pas seulement un défunt. Ce n'est pas un décédé. Pas de trépas. Il n'est pas parti déjeuner. Il est mort! Raide mort. Très simple. Barnard est mort. Pas d'euphémisme. Oh je suis content que tu sois mort espèce de fumier. Besoin de le voir dans son cercueil. Oh pauvre Barnard, je l'ai bien connu Horatio. Oui, un dîner léger puis un petit tour au motel de la dernière chance. Pas un congé de quelques jours. La mort est si définitive. La mort. Tout est fini. C'est la fin, le point final. Il n'y a rien d'autre il n'y a rien de plus. Sauf pour ceux qu'il laisse derrière lui. Tout va bien, Crip, pleure pas mon vieux. Ma mère a eu quatre autre enfants après moi, Jojo, Toto, Lolo et Jack. Jack? Qu'est-il arrivé à Nono? Elle ne voulait pas de Nono. Vaut mieux que Crip approche pas trop du cimetière. Tout va bien se passer. Pas la peine de s'inquiéter. Juste y aller quelques minutes puis partir. Peux toujours manger plus tard. Pas faim. L'estomac comme vide, mais pas faim. Franchement pas si mal. Me sens tout mou à nouveau. Me traîne. Vraiment désœuvré. Merde, c'est ridicule. Pourrais toujours prendre une tasse de café. Peut-être faire une halte pour me payer une glace. Ou autre chose. Merde. Sais pas ce que je veux. Eh merde. Y aller, c'est tout. Ça n'a rien de stupide. Les pyromanes vont toujours voir leurs incendies. Ils adorent ça. J'aime pas Barnard et je suis pas pyromane. C'est l'heure d'y aller. Allez, on se bouge.

Belle soirée. Brise embaumée. Idéal pour rouler en décapotable. Les vitres baissées, ça suffira bien. Impeccable. J'espère qu'on peut se garer. Y ai pas pensé. Y aura peut-être plein de gens qui iront là-bas après le boulot. C'est possible. Un peu comme quand le dernier enfant quitte la maison et que la mère se sent perdue. Pas concentré. Fort possible. Non pas que je me sente mal. Juste un peu à la ramasse. J'ai eu vraiment un truc sur lequel me concentrer... pendant des mois. Maintenant plus que le travail. Nerveux. Envie de mettre la gomme et de foncer dans la nuit. Sensation de la vitesse par les vitres baissées. Le bruit. Sentir le vent sur mon visage. Mieux vaut se garer ici. Moins de cent mètres à marcher, et y a peut-être rien de plus près. Allez, c'est parti... Beaux, ces arbres. Ce chêne m'a l'air très vieux... Mince, l'estomac tout retourné. Comme s'il me disait d'arrêter. Je fais peut-être une erreur. Allez savoir. Le parking est plein. Peut pas être que pour lui. Mais pas mal de gens quand même je suis sûr. Et voilà... Bon sang, on dirait une morgue. BARNARD... Salle C. Par ici... Bien ce que je pensais, plein de gens. Entrer. Paraître solennel. La tête penchée. Ne regarder personne dans les yeux. Pas besoin de me mêler. Inutile de s'attarder. Quelqu'un va s'approcher. Pas de visages familiers. Ni de voix. Celle au téléphone ? Pense pas. Calme en tout cas. Lentement vers les premiers rangs. Pas mal le cercueil. Brillant, disons. Mal aéré ici. Il fait frais mais j'ai chaud. Pas besoin de rester trop longtemps.

Tout va bien. Me sens bien. Pas trop mal en fait. Calme. Pas d'hystérie. Personne ici. Devrais aller jeter un œil. Le voilà. Mort. Et un M, et un O, et un R, et un T Mort! C'est vraiment lui, Barnard. Et il nous a quittés. Décédé. Défunt. Parti dans grand tipi dans ciel. Il a pas bonne mine. Toc, toc, y a personne? T'es vraiment crevé maintenant Barnie. Je crois que je devrais bouger pour qu'un autre puisse le regarder. Encore une minute. Il va peut-être me faire un clin d'œil. Tout ça une vaste farce. Il va se redresser d'un coup et se mettre à chanter: « Heaven, I'm in Heaven... » Si t'es au ciel, c'est que quelque chose ne va pas. C'est l'arnaque. Les cartes sont marquées, le jeu est truqué. Vaut mieux bouger. Peut-être que des gens regardent. Me diriger par là hors de vue. Le vois encore. M'assurer qu'il essaie pas de se barrer. Faut rester là, Barnard, on n'est pas à Halloween. Te voilà. Tu es vraiment mort. Quelques lettres qui forment le mot MORT, un mot capital à mes yeux. Je ne respire pas mais l'air continue d'entrer... et de sortir. Devrais pas traîner. Quelqu'un qui—

Vous connaissiez Harry depuis longtemps?

Hein... (Harry? Quoi????) Oh. (Harry.) Quelques années. Le bureau.

On était voisins depuis dix ans. Un type très bien. Un père de famille merveilleux. Vraiment une belle famille. Quelle tragédie.

Oui. (Hurlements de ce bon vieux Crip.) Terrible. Je ne suis pas sûr de savoir ce qui s'est passé? J'étais en congé.

Oh, je vois. Vraiment tragique. Si soudain. Est rentré du travail malade, empoisonnement alimentaire depuis deux jours. Et soudain il est mort. Quelle tragédie.

On ne peut jamais savoir, pas vrai ?

Non, ça, on ne peut jamais savoir. En excellente santé l'instant d'avant, puis…

Quand votre heure sonne on ne peut pas se défiler.

N'a jamais été malade de sa vie. Jamais raté une journée de boulot. Et sans prévenir il s'éteint, comme une bougie.

Il est impossible de prévoir ce genre de choses.

C'est bien vrai — Oh, excusez-moi, voilà Maxwell. Il faut que j'aille lui parler. Au plaisir.

Oui, au plaisir.

Et quel plaisir, mon sire ! Une tragédie moderne. Le prix qu'on paie pour sauvegarder notre civilisation. La vie va beaucoup trop vite. Les aliments poussent vite, sont vite préparés, vite mangés, et régulièrement on a droit à un peu de négligence et voilà que quelqu'un meurt d'une intoxication alimentaire. On n'entend que trop souvent ce genre d'histoire. Oh que oui. Il faudrait vraiment faire quelque chose. Inspecter ces endroits plus souvent, plus à fond. Dieu seul sait depuis quand ils entreposent cette viande morte. Ça pénètre la fibre du bois, les éviers, les sols, les murs, les casseroles, les poêles sont recouvertes de bactéries. Environnement idéal pour la maladie. Je vous le dis, c'est criminel de tolérer de telles conditions. Je parie qu'ils sont des milliers à mourir chaque année de ces formes de contamination, mais on n'en parle pas. Ils empêchent que ça s'ébruite. C'est comme ça le business. Y a que le résultat financier qui les intéresse. Pour eux, on est rien que des meubles, juste des consommateurs. Mais s'ils continuent à nous tuer comme ça y aura plus un seul consommateur. On devrait tous écrire à nos représentants au Congrès, envoyer des lettres aux rédacteurs, à la télé, les inonder de courrier, leur faire savoir qu'on est au courant de ce qui se passe et qu'on refuse de le tolérer davantage, nous exigeons que des mesures soient prises pour qu'on puisse aller manger un morceau quelque part et s'en sortir vivant. Regardez cet homme, fauché dans la fleur de l'âge par la négligence d'autrui. Regardez ceux qu'il laisse derrière, l'épouse et les enfants, et son chien bien-aimé, Crip, qui ne mange plus depuis quelques jours déjà et sera bientôt aussi décédé que son maître. Ce n'est pas un jeu, mais n'empêche qu'on prend un risque chaque fois qu'on déjeune. On devrait peut-être tous avoir sa gamelle et sa Thermos. Peut-être pas très chic, mais ça serait moins risqué. Il faut absolument— Ahh, cet air est agréable. C'était vraiment mortel comme atmosphère là-dedans. Sans jeu de mots. Une ambiance oppressante. Mais il est mort. Ainsi va toute chair. Oh, je me sens tellement mieux maintenant. Ce n'est pas du tout une hallucination, c'est aussi réel que peut l'être la mort.

Il est mort. Peut-être que son remplaçant sera aussi pourri, mais celui-ci ne va plus emmerder qui que ce soit. Bon sang, je ressens un tel sentiment d'accomplissement. J'ai fait pas mal de trucs quand j'étais ingénieur. Des problèmes à résoudre. Rester concentré. Mais là, c'était très différent. Là, c'était tellement plus réel, plus tangible. Il n'y avait rien de théorique dans cette affaire. Le problème était concret comme les actions et le résultat. Les problèmes d'ingénierie sont intéressants, fascinants, stimulants, faire des choses qui n'ont encore jamais été faites. C'est pas rien. Oh que non. Mais ça... ça a été fait tellement de fois... Il y a eu Adam et Ève, et il y a eu Caïn et Abel. Ça remonte à très loin et on continue de le faire depuis. J'ai rejoint une ancienne fraternité. J'ai tué un homme. Avec mon intelligence, mon savoir, mon courage, et de mes propres mains j'ai tué un homme. Je n'ai pas appuyé sur un bouton ou arrosé de balles impersonnelles une zone, non, j'ai, tout seul, serré les dents et affronté le problème de plein front et j'ai tué personnellement un homme. Je ne l'ai pas abattu, et je ne l'ai pas éliminé, je ne l'ai pas effacé, je l'ai tout simplement tué. Pas d'euphémisme, pas de mort par la bande. Tout comme je suis là et me regarde dans la glace, je l'ai regardé et j'ai fait ce qu'il fallait pour lui ôter la vie. J'ai tué ce fils de pute. Bien sûr je ne l'ai pas regardé dans les yeux quand il agonisait pour lui dire que c'était moi son assassin, mais je n'ai pas besoin de me compliquer la vie avec ça, il me suffit de savoir qu'il est mort et ne viendra plus jamais causer de tort à qui que ce soit. Plus jamais! Il est toujours allongé dans ce cercueil. Il n'en sortira jamais. Un vrai sens du définitif. Tout le monde rentre chez soi. Personne ne vérifie qu'il est encore là. Il sera là demain matin pareil qu'aujourd'hui. Parie qu'ils vont le remaquiller un petit coup. Je pourrais y retourner demain pour voir. Ça serait peut-être pas une bonne idée. Quelqu'un pourrait se rappeler que j'étais là aujourd'hui. Ce type à qui j'ai parlé. Oublions tout ça. Me sens soudain épuisé. J'ai faim. Me faire un sandwich.

Et maintenant il peut enfin dormir à nouveau du sommeil de l'innocent. Un doux sourire sur son visage, un corps affranchi de toute tension, qui ne se tord ni ne remue plus. Quand il se réveillera ce sera une nouvelle journée. Ce qu'elle apportera, il l'ignore encore pour le moment. La journée apportera ni plus ni moins qu'une nouvelle journée à vivre et il en fera ce qu'il veut. C'est lui seul qui décide.

Ohhh, me sens épuisé... il a pas l'air d'être très tôt... de la lumière... dormi toute la nuit... il est quelle heure... voyons voir, la vache... dormi presque neuf heures, devrais être sur le pied de guerre... absurde... neuf heures, devrais pas me sentir si mollasson... vite, filer sous la douche... les yeux qu'arrivent pas à rester ouverts... faire gaffe où je pisse quand même... bon sang, arrête pas de bâiller...

les lumières me font mal aux yeux... dingue, fou, envie de me recoucher. Pourquoi pas? J'ai chopé un truc? Un microbe? Prendre une douche, c'est tout. Ça marche toujours. Ohhh, je fais que bâiller. Et merde. Vais pas me noyer sous la douche. J'espère. Bâiller à en crever. Pourrais mourir sous la douche. Continuer de bâiller et paf! glisser. M'ouvrir le crâne. Bête comme façon de mourir. Peut-être que je devrais manger un truc et boire un café. Faut bien faire quelque chose. Peux pas rester comme ça... faible et vidé. Arrive à peine à enfiler mes vêtements. Vais me coincer la mâchoire à force de bâiller. Peux pas être fatigué à ce point. Pas retourner me coucher, quand même. M'en fiche. Du café me fera du bien. Et manger un truc. Pourrais même pas me préparer un instantané, si j'en avais. Marcher jusqu'au café me fera du bien... Sais pas. Rien que cette pensée m'écrase. Bon, hors de question de se préparer un truc ici. C'est évident. Bon sang, je pleure à force de bâiller. Aller au café en voiture. Oh bon sang, ça paraît stupide de prendre la voiture pour aller au bout de la rue. Obscène. Ouais, peux pas y aller autrement. Si j'y vais pas je mangerai rien. Besoin de manger. Je le sens. C'est peut-être rien d'autre. Des taches solaires, un truc dans ce genre. Je ne sais pas. Des fois on se réveille comme ça. Avec une énorme envie de manger. Me sens si déconnecté. Séparé si on veut. Me sentais si solide... si... plein hier soir. Comprends pas. Y a de ça dix heures je me sentais léger... capable. La pensée de bouger est insupportable. Lever un pied, remuer une jambe, puis poser le pied et recommencer tout ça plusieurs fois de suite mon dieu c'est impossible. Vais pas y arriver. L'impression de peser une tonne. Trop lourd pour bouger. Faut que je conduise. Peut-être me garer au bout de la rue. Ça va me réveiller de conduire. Déjà mieux. Bon sang, arrêter de bâiller pendant que je conduis. Pourrais rentrer dans quelqu'un sans m'en rendre compte. Plus que deux rues. C'est comme ça que se produisent la plupart des accidents, il paraît. À deux rues de chez moi. Personne ne saura que je viens de chez moi. Savent pas où j'habite. Et même si c'était le cas, je pourrais venir d'un autre endroit. Garder les yeux ouverts. Et alerte. Mais arrêter de bâiller. Rester concen— génial, plus que quelques mètres. Ahh, c'est gagné. Ai pas bâillé une seule fois. Espérons que c'est fini. Pas envie de bâiller au nez de la serveuse. C'est dégoûtant. Vraiment grossier. Oh bon sang, sans prévenir. Je crois que je devrais continuer à me frotter les yeux ou à me moucher ou je ne sais quoi. Garder la tête baissée. Oh bon sang, ça veut pas s'arrêter. C'est comme d'être de nouveau à l'école. Tout le monde vous regarde quand vous bâillez et cette saleté de Miss Clochemule qui vous sort : « Si vous dormiez la nuit peut-être que vous ne bâilleriez pas au visage de toute le monde. » Merde, au visage de tout le monde. M'installais au fond de la classe. Me cachais pratiquement la tête dans les bras. Quelle salope. Me demande pourquoi elle me détestait. Toujours à me reprocher la moindre vétille.

Rien qui tienne, en fait. Aimait juste me harceler. M'envoyer au tableau devant le restant de la classe. Pour réciter quelque chose. Elle savait que je détestais ça. Elle le faisait exprès. Aimait voir la douleur dans mes yeux. Ouais. C'est pour ça qu'elle me demandait de réciter juste à côté de son bureau. Pour que tout le monde me regarde. Y avait des types, surtout John et Wilson, qui faisaient des grimaces et essayaient de me faire rire. Ai presque pissé dans mon froc un jour. Tu parles d'amis. Le faisaient chaque fois. Semblait impossible de ne pas regarder l'un des deux. Différents coins de la salle. Sentais mon visage se nouer pour pas rire et réciter. Miss Clochemule qui me regardait, en tapotant sur son bureau avec ses doigts. Qui me fixait. Je sentais ses yeux qui me transperçaient carrément, une vraie brûlure. Et les filles… oh bon sang. Qui murmuraient derrière leurs mains… gloussaient… et Sally Landry assise au premier rang, juste devant moi, elle commençait à avoir des seins. Les autres aussi, mais elle avait de ces… nichons… Je sentais la sueur dégouliner le long de mon dos et je devais réciter ou lire une connerie de poème pour Clochemule et je savais plus où j'en étais à force de mater les nichons de Sally et je me sentais tout chose oh bon dieu, mais pourquoi est-ce que je repense à ces conneries. Juste hocher la tête, marmonner, me frotter les yeux et le nez, me cacher le visage avec mon mouchoir, sais pas ce qui se passe, continuer de sourire, surtout ne pas s'arrêter de sourire comme ça ils vous demandent pas ce qui va pas, bon sang quelle barbe, si vous souriez pas ils veulent savoir ce qui va pas, continuer de sourire, c'est tout, mais pas possible avec miss Clochemule à côté, ou en regardant les nichons de Sally. Surtout les nichons de Sally. Je pensais plus à ma tête alors. Oubliais que je bâillais en la regardant traverser la salle. Ils étaient pas très gros, mais c'étaient définitivement des nichons. Marrant comme ces choses changent — bon sang, le mouchoir, elle me regarde, c'est moche de faire ça pendant qu'ils mangent, vous bâillez, ils lèvent la tête de leur assiette et voient votre bouche grande ouverte, votre langue et tous ces drôles de trucs sous votre langue (au moins ça ressemble pas à ce truc noir qui pendouille chez les chiens), vos cavités, vos plombages, oh bon sang, c'est plus que grossier, on peut pas faire ça à quelqu'un. Peut-être que j'étais bien réveillé quand je regardais Sally, c'est pour ça que je bâillais pas. Ouais, c'est marrant les changements, vous êtes un gamin et les autres se moquent de vous en racontant que vous sortez avec des filles. Fais comme ci. Fais pas comme ça. Comme ci. Pas comme ça. Et cetera. Et puis tout d'un coup au lieu d'être traité de gonzesse si on vous voit parler à une fille, vous en êtes une si vous leur parlez pas. Je crois que les choses sont ainsi, on peut pas gagner. Peut-être s'en sortir avec un match nul. Les nichons de Sally me fascinaient. Je voulais juste les mater et les regarder pousser. Voulais juste passer mon temps à les regarder fixement. Espère que manger me fera du bien. Me réveillera. Arrêter de bâiller. Ô putain, que dalle. Je crois que j'ai plus qu'à continuer de penser aux nichons de Sally en rentrant chez moi comme ça je ne bâillerai pas. Me demande ce qui m'a fait y penser ? C'était quand la dernière fois que j'ai pensé à Sally ou à ses nichons ? On pouvait pourtant pas vraiment parler de seins. Un ou deux ans plus tard, oui. M'en rappelle pas particulièrement alors. Elles en avaient toutes à l'époque. Plus le temps de bâiller. Ah ah, on est tous devenus des athlètes, première base, seconde base. La seule fois où j'ai failli être un sportif. Ça m'a pris un sacré bail pour maîtriser ce genre de base-ball. Peux pas dire que j'étais très compétent. Allez savoir qui l'était. On se mentait tous entre nous, ou du moins on prenait certaines libertés avec la vérité. Me demande s'ils repensent à tout ça ? Bon, rentré et sans encombres. Les nichons de Sally m'ont aidé à tenir pendant le petit déjeuner. Et maintenant ? Bon sang, c'est horrible. Une inertie insupportable. Aurais pas dû m'affaler sur le canapé. Me relèverai peut-être jamais. Si les petits seins naissants de Sally m'ont aidé, alors quelque chose de plus mûr le fera peut-être. Merde, qui je vais appeler ? Ai même pas envie de décrocher le téléphone. Prendre rendez-vous pour ce soir ou le week-end mais comment savoir comment je me sentirais ? Me retrouver coincé toute une soirée avec quelqu'un qui vous rase. Pas besoin d'y passer la nuit. Mais c'est ce qu'on attend toujours de vous. Même si elles veulent pas, ou peuvent pas, elles se mettent en rogne si vous voulez pas. Alors vous devez jouer le jeu et faire comme si c'était pas un jeu, elles vous disent, Allons-y. Chez toi ou chez moi ? Génial. Et moi je fais quoi, je lui bâille au visage ? Ou je lui demande si elle peut rétrécir ses nichons un moment ? Un aller simple pour l'asile. Pourquoi s'en faire, c'est tellement vain. On se couche, on fait l'amour quelques heures, on se lève le matin et on se retrouve une fois de plus avec tout le restant de votre vie à vivre. À quoi bon faire diversion ? Repousser l'inévitable. Je pourrais peut-être bosser un peu. Pourquoi ? Même si je réussissais à me lever comment diable ferais-je pour me rendre jusqu'à mon bureau, pour allumer la bécane, réviser mon travail, voir ce qu'il faut faire, regardez — impossible. Faut que je prenne un petit déjeuner. C'est ça. Peut-être pour la semaine. Pas besoin de manger tous les jours. La pensée de manger me donne la nausée. Comment je pourrais déjeuner ? Oh bon dieu, mon corps est de plus en plus lourd. Il me tire vers le bas. Tout a l'air si sombre. Mais qu'est-ce qui se passe, bordel ? Ça va quand même pas recommencer. C'est pas possible. Je m'en suis sorti. La vie peut pas me refaire ce coup-là. Je me laisserai pas faire. Je ne le tolérerai pas. J'ai qu'à allumer la télé. Aucune raison de me laisser accabler par tout ça. La télévision. Vous voyez ça ? Un groupe d'immeubles qui explose. Des gens déchiquetés. Un connard en uniforme qui gueule COUREZ COUREZ COUREZ !!!! Putain, quelles débilités. Éliminez la violence, les effets spéciaux, le bruit, et tout ce qui reste c'est les génériques de début et de fin. Ouais, absolument. Non merci. Vraiment pas envie de voir un film qui donne la pêche. Rien d'intéressant à la télé. Ahhh, la façon dont elles les agitent c'est déprimant. Comme si leurs nichons avaient une vie propre et que la seule raison de vivre de ces pétasses c'était de les agiter sous votre nez. Pas étonnant que ce pays parte en couilles. La télé est allumée en moyenne six heures par jour. Un pays de crétins. Ce n'est pas une dégénérescence morale. Le fait de devenir amoral. L'immoralité est tangible. C'est un état d'esprit bien précis. C'est une perception de la vie tangible et des actions nécessaires pour battre la vie à son propre jeu. L'immoralité n'a rien de fadasse. Pas un truc qui donne la pêche. Les fondamentalistes ont un programme très précis auquel ils se tiennent et qui est tangible. Concret. La télé leur facilite la tâche en abrutissant les gogos. Ils ne le savent pas. Ils restent assis et se laissent consumer par leur médiocrité et jurent devant dieu qu'ils s'amusent bien ah, mon cul oui. C'est vain. Ouais, d'accord, regarder un match des Dodgers. Rester des heures devant le cœur qui bat l'excitation juste pour apprendre qu'ils ont perdu, une fois de plus. Voilà ça c'est vraiment un exercice vain. Une fois toutes les cinq minutes environ quelqu'un lance la balle et quelqu'un d'autre essaie de la frapper avec une massue. Oh comme c'est excitant. Ensuite ils décrivent tous les deux des cercles, tapent leurs chaussures, se grattent les couilles, ajustent leur casquette, regardent autour d'eux, haussent les épaules, se dégourdissent les jambes, se trémoussent, puis ils recommencent tout ce manège depuis le début… et encore… et encore… *ad infinitum, ad nauseum.* Bon, au moins ils restent au soleil pendant des heures, puis passent encore quelques heures bloqués dans la circulation une fois le match terminé. Youuuppiiii. Un championnat de billes serait nettement plus drôle. Me demande si ça existe encore. Probablement. Quelque part. Les gosses adorent ça. Peut-être une des dernières choses qu'ils aimeront enfants. Dans pas longtemps ils seront lancés dans la compétition du monde. N'allez pas à l'école et faites de votre mieux. Devez être les meilleurs. Devriez être les meilleurs en tout. Au moins dans un domaine. Ils vous disent pas quel cauchemar c'est la vie. Comme c'est futile. Dépourvu de sens. Gagner de l'argent. Bon sang, rien n'est plus facile que de gagner de l'argent. Et après? Ça vous écrase. La vie devient de plus en plus pesante jusqu'à ce qu'elle vous vide de toute vie mais vous ne mourez pas. Vous végétez. Vous vous enfoncez de plus en plus dans l'obscurité. Délire grotesque. Dérision permanente. La lumière du soleil se moque de vous. Le clair de lune se moque de vous. Les fleurs, les merles, les arbres, les ombres se moquent de vous. Les lampadaires sont allumés. Pour vous guider ou se moquer de vous? Ils repoussent l'obscurité mais celle-ci reste là et attend de vous écraser. Le soleil pulvérise l'obscurité mais le soleil, défait, renonce. L'obscurité rebondit toujours et revient masquer la lumière du soleil, l'expédie tout en bas, hors de vue, où elle geint avant la nuit noire. L'obscurité suit toujours, tombe, descend. Toujours. Nous avons droit au soleil un moment. Mais seulement un moment. On se sent dopé par lui, alimenté, illuminé, radieux, éclairé, on voit très clairement notre chemin, pas de questions, pas de doutes, très clairement et si définitivement tracé qu'il est presque inutile de regarder où on pose les pieds, ils vont simplement où ils doivent aller, vous faisant avancer toujours davantage dans la lumière, le simple objectif de la lumière, la lumière qui apporte la vie et ensuite vous savez… Oui ! Vous savez. C'est la vie pour laquelle vous avez été créé. C'est la raison pour laquelle vous prenez la peine d'inspirer et d'expirer. Tout prend sens. Non, les mystères de la vie ne sont pas résolus. Ils sont sans importance. De simples jouets avec lesquels jouer, puis qu'on jette ou refile comme on le fait avec des jouets d'enfant. Mais nous savons que les enfants jouent avec des jouets. Nous pensons nous préoccuper des questions plus importantes que pose la vie. Ahhh, les mystères. Vous pouvez étudier les mystères, les discuter, les analyser, les disséquer, les déprécier, les canoniser, ou… ou vous pouvez vivre votre vie. Ahh, pourquoi prendre la peine d'y accorder seulement une pensée ? Vous touchez à votre sublime objectif, vous êtes arrivé. Recevez la bénédiction de la Sanction et laissez votre être baigner dans la lumière. La joie suprême et exquise de ne pas avoir à traîner votre corps, de vous déplacer d'un endroit à un autre. Ou plutôt, c'est comme s'il allait de lui-même là où il lui faut aller, là où il peut le mieux servir les besoins de la vie. Et cependant la vie finit par vous virer comme si elle était une entreprise. Partez. Dehors. N'assombrissez plus jamais ce seuil. On n'a plus besoin de vous, on ne vous veut plus. Comment est-ce arrivé ? Pourquoi est-ce arrivé ? C'est comme si je m'étais vu refuser ce moment lumineux. L'obscurité pesante, impénétrable se met à m'écraser de nouveau en un rien de temps. Oh bon sang, j'ai l'impression que mes épaules sont autour de mes hanches. Me sens tout tordu et recroquevillé. Comment est-ce que j'ai fait pour me retrouver ici ? Au moins, j'ai l'arme à présent. J'ai la capacité de briser cette chaîne. C'est vrai. Je ne suis pas obligé d'être une victime. Je ne suis pas obligé de me faire maltraiter par la vie. Je peux faire ce pas affirmatif que nous avons tous le droit de faire. Ce qu'ils disent est sans importance. J'ai sûrement le droit de le faire si je le décide. C'est ma vie. Pas la leur. Qu'est-ce que j'en ai à battre de leurs lois stupides ? Ils peuvent contrôler ma vie, mais pas ma mort. C'est moi qui décide. Il n'y a pas de période d'attente imposée. Tout repose entre mes mains. Être ou ne pas être. C'est là une question à laquelle je peux répondre dès que je le veux. C'est toujours moi qui décide. Je peux peut-être dormir. Oui. Me sens las. Et tellement, tellement fatigué. Épuisé. Je pourrais juste étendre les jambes et dormir là. Non. Ça marcherait pas. Me réveillerais en pleine nuit, incapable de retrouver le sommeil. C'est insupportable. Dois découper un trou dans l'obscurité pour respirer. Je peux me forcer à me lever maintenant, maintenant que je sais que je peux faire tout ce que je veux, quand je le veux. Je suis le seul à décider. Bon, on verra ce qu'apporte le matin.

Argh… saleté de lumière. Ai l'impression que quelqu'un appuie sur mes yeux… avec les pouces. Très chaud. Doit être tard. Pourrais plus me rendormir. Peux pas ouvrir les yeux. La lumière du soleil. Pourquoi est-ce que j'ouvrirais les yeux ? La même merde. La fenêtre, les volets, les rideaux, la lumière, le mur, ces foutus oiseaux, encore une journée lamentable oh bon dieu. Ouais, faudra bien que je me lève tôt ou tard. Pisser au lit. Et merde. Mieux que de se lever. Ça vous commence la journée. Rester au lit. Pas de journée. Rien, que dalle. Rester au lit finir par se rendormir. Peux pas rester au lit. Condamné à se lever. Peux pas pisser au lit. Et merde, peut-être que je réussirai à me recoucher… Pas la peine. Filer sous la douche. Ça me fera peut-être du bien. Je sais pas. Cette seule pensée est harassante… enlever mon pyjama, ouvrir la porte de la douche, faire couler l'eau, régler la température… oh bon sang, et ainsi de suite, sans fin… puis me savonner… ramasser le savon, sur tout le corps, lever ces putains de jambes, la moindre petite chose impossible, arrive même pas à y penser, tout recommencer puis sécher tout ce foutu corps, oh bon sang… peux pas rester éternellement appuyé contre cette porte. Entrer ou sortir. Rester sous l'eau, c'est tout. Mes jambes veulent se plier. Du calme, tiens bon. L'eau me fait du bien. À quoi bon ? J'ai encore toute la journée à me taper… ouais, puis une autre et une autre et encore une autre et ainsi de suite… combien de jours comme ça on peut supporter ? Pourquoi se soucier de tout ce gâchis ? Ai même pas envie d'aller à l'enterrement de Barnard. Même pas le droit de me faire plaisir. Faut pas que la vie voie que vous êtes heureux. Smash ! Bingo. C'est le Puits et le Pendule. C'est humide. Est-ce que je peux me dissoudre ? Filer par la bonde avec l'eau ? Combien de temps tu peux tenir comme ça ? Léthargie. Hypnotique. Est-ce que je glisse lentement ? Me retourner ? Comment ? Avancer mes mains le long des parois et espérer que je ne glisse pas ? Centimètre par centimètre ? Encore… un peu… plus… merde ça cogne dans mes oreilles… encore un peu… encore… ohhh, ça fait du bien… quand ça tombe sur mon dos… combien de temps puis-je rester dans cette position ? Je vais finir par glisser et me fracasser le crâne. Une façon stupide de mourir. Mais je serai mort ! M'en rendrais même pas compte. Juste me cogner la tête sur le mur. Peut-être saigner. Pourrais même me noyer. Tu parles. Rester inconscient un moment, puis l'eau qui me réveille. Mal à la tête. Énorme bosse. Malade. Je suis tombé dans la douche docteur. Ben voyons, bien besoin de cette humiliation. Est-ce que je glisse ? L'impression que l'eau m'engourdit. Mais ça m'a fait du bien... pendant un moment. Ça devient ennuyeux. Je savais que c'était stupide. Maintenant il faut que je me retourne. Pas complètement. Tendre la main et fermer le robinet. Ouais... comme ça c'est plus facile. Respirer un petit moment... Inspirer... Expirer... Je crois que je suis réveillé. Et puis zut, aucune chance de se rendormir de toute façon. Ohhh... Ouvrir cette saleté de porte. Bon sang, je suis si faible. Trop d'eau... ça a dissous mon énergie. Allez, ouvre-toi... poser ma main ici... pousser... mon dieu, je peux à peine la bouger... oh non, peux pas. Trop grande, trop lourde. Sécher à l'air. Bien assez chaud. Je peux peut-être enfiler mon peignoir... eh non, trop dur. Mouillé le tapis, pas grave. La vache, vraiment faible. Vaut mieux s'asseoir. Ouais, toute la journée devant moi. Et une autre nuit. Dormirai peut-être pas ce soir. Regarder la télé ? Ça pourrait m'endormir ? Lire un livre. Faire quelque chose. Arrive pas à m'habiller comment je vais faire pour tenir toute la journée... chaque minute infinie. Bon dieu, trop de lumière besoin de lunettes dans la maison et je me sens si mal. Comment c'est possible ? Survécu cette fois-ci. Que s'est-il passé ? Comment je me suis retrouvé là ? Une fois ne suffit pas ? C'était assez moche comme ça. Mais là c'est encore plus grave. Retourner dans l'obscurité après avoir été dans la lumière une vraie torture. Faut être un dieu, l'homme est pas à la hauteur. Trop de choses à contrôler. Trop de circonstances.

L'homme peut pas atteindre une telle paix intérieure. Non. Dieu, sûrement, oui. Pourquoi ? Pourquoi est-ce que ça arrive ? Ahhh, à quoi bon. Au moins pas besoin d'attendre. Dois d'abord m'habiller. Peux pas me flinguer nu. Comment je vais faire pour m'habiller ? Chercher l'arme ? Me vois pas bouger. Suis allé sous la douche, peux bien aller chercher l'arme. C'est ridicule. Rester ici nu toute la journée ? Le restant de ma vie ? Fais preuve de dignité, au moins. Tu vas te faire sauter le caisson, au moins que le reste soit présentable. Ouais. Vivre vite et tout ça. Comment être un cadavre présentable avec le sommet du crâne explosé ? Tout ça est stupide. Vivre, mourir. Complètement stupide. Tellement dénué de sens. Pourquoi souffrir ? En finir. Tu veux rester ici, comme ça, jour après jour ? Peut-être pendant des années ? Qu'est-ce que ça a de si compliqué bon sang que d'enfiler quelques vêtements ? Tu l'as fait toute ta vie. Ouais, toute ma vie. Bon sang, je suis déprimé pas paralysé. T'es si bête que ça ? Rester tout nu ne va rien changer à rien. Ouais... Ouais. Merde ! Ça prend quoi, 2 minutes ? Va chercher un vieux pantalon militaire... Dément. Passer un tee-shirt, glisser mes pieds dans des chaussures. Voilà. Maintenant l'arme. Agréable. Belle allure. Propre. Rester ainsi un moment. Pourquoi j'ai attendu si longtemps ? Me sens déjà mieux. Sais que je suis pas piégé. J'ai une voie de sortie. Peux la prendre quand je veux. Juste le fourrer dans ma bouche... argh, dégueulasse comme goût. Bon, d'accord, pas tant que ça en fait. Juste un peu gras… métallique. Appuie sur la détente et le goût disparaîtra. La pousser en fait. Doit bien y avoir un truc que je veux faire avant. Une dernière requête. Ouais… Je veux mourir. Je dois mourir. Ça ne changera jamais. Me sens toujours comme ça. Ça marchera pas. Rester là et attendre de mettre le canon dans ma bouche et presser la détente. C'est tout ce que j'attends de la vie. Le dernier but qu'il me reste. Laisser le sommet de mon crâne collé au plafond. Il n'y a pas d'alternative. Juste une question de temps. Inévitable. Supporte plus ce fardeau écrasant. De vivre. Ce n'est pas vivre. Vivre ça va. Cette nuit de l'être est inhumaine. Je ne la souhaiterais même pas à Barnard. Chaque saleté de respiration une éternité. Tenir des heures et il ne s'écoule que quelques minutes. Lutter pour respirer… pour quoi ? Pour lutter. Vain. Sais pas comment rentre l'air. Arrive pas à respirer. Me demande combien de gens vont mourir pendant cette canicule ? Veinards. Ils sont libres. N'ont pas à endurer toute cette folie. Pourquoi j'arrive pas à presser cette détente bordel ? Et merde. Peux pas m'empêcher de sucer ce machin. Un goût de merde dans la bouche. Aurai de la chance si je me brise pas les dents dessus. Dois continuer d'essayer. Un de ces jours je vais juste la presser et ça sera fini. J'espère. Vaudrait mieux. Non, bien sûr que non. Pas ces conneries religieuses. Mais on sait pas. J'y crois pas. On peut pas emmener sa douleur avec soi. Ce degré de cruauté dépasse l'imagination. Personne… rien ne pourrait être aussi… aussi… Pas même un Barnard. Qu'est-ce qu'il fait en ce moment? Est-ce qu'il est juste mort, ou est-ce qu'il paie pour ses péchés? Mort c'est mort. Au moins je sais ce que je fais. Ouais. J'ai un but. Mourir. Peut-être que c'est le seul but. Qui sait. C'est le but de ma vie… maintenant, aujourd'hui. Mourir. Une raison de vivre. Ouais, voilà qui est bizarre. Marrant. Mais vrai. Ça aide à passer la journée. Me sens pas si désespéré… ou impuissant. Dieu merci j'ai ce flingue. Je ne suis pas à la merci d'une saleté de démon. Je peux en finir. Quand je le décide. Ça suffit. Pour vivre. À moi de voir. Personne d'autre. Je décide de ma vie. Presque envie de travailler. Peut-être plus tard. Manger un morceau. Regarder dans le congélo. L'impression que mes jambes sont moins lourdes. Ai dû rester là toute la journée. Fera bientôt nuit. Dormi cette nuit. Peux sans doute allumer la télé. Plus tard. Ça m'a fatigué. Doit bien avoir quelque chose de regardable. Un film. Un classique. L'ULTIME RAZZIA. Ohhh, DRACULA. Lugosi. Rêve pas. Possible. Une rétrospective ou je sais pas quoi. Non, pas maintenant. Halloween. Sans doute LASSIE, ou FIDÈLE VAGABOND. Ah, conneries. Mais pas LA VIE EST BELLE. Pitié pas ça. Éteindre la télé. Juste avant que je m'éteigne moi-même. Peut-être qu'elle brûlera en enfer. Pas le courage de regarder le programme. Bon sang. Dingue. Trouve-le. Ramasse-le. Lis-le. Allez, feuillette-le. Passe en revue les chaînes. Prendre le temps de suçoter le canon de ce truc. La détente à quelques centimètres seulement. Fascinant. Le serpent et l'oiseau. Peux pas le voir. Juste mon pouce. Combien de temps je peux le regarder fixement ? Ça devient flou. Ça brûle. Il y en a deux. Continuer de regarder… des tas de flingues… que des flingues. Ne sens qu'une seule bouche. Ne sentirai qu'une seule balle. Est-ce que je la sentirai ? Combien de temps ? Peut-être rien. Mort avant de sentir la douleur. Possible. Sens plus le goût. Pas vraiment. Comme une odeur. Bientôt tu fais plus gaffe. C'est un goût. Rien. Rien qu'un goût. Ni agréable ni désagréable. Peux l'ignorer. M'absorber. Tout finit par s'estomper. Cacahuètes. Asperges. Arrête de manger. Arrête-toi au moins une seconde. Mets-en plus dans la bouche. Las de mâcher à la fin. Mâchoires. Dents. L'estomac plein. Doit toujours s'arrêter. À un moment ou à un autre. Sucer le canon, c'est tout. Juste dans la bouche. Sans effort. Ouais… je suppose. Le bébé et sa tétine. M'endormir avec ça dans la bouche. Est-ce que je peux m'endormir avec ça dans la bouche ? Bizarre. Si j'ai un frisson. Un léger spasme. Boum. On s'endort assis on sursaute toujours. Pourrais presser la détente. Si je reste assis comme ça, suffisamment longtemps, ça pourrait arriver. Comme ça, c'est tout. Terminé. Les mâchoires qui se fatiguent. Presque aussi désagréable que chez le dentiste. Peux pas rester comme ça éternellement. Le sais. Peux essayer. Voir si la détente s'enfonce. Ouais. Trop lourd. Sans doute le lâcher, c'est tout. Bon dieu, le coup part et je me prends une balle dans la jambe. Comment j'expliquerais ça ? De toute façon ça marchera pas. Juste m'habituer à l'avoir dans la bouche. Merde, maintenant je sens le goût. Ma mâchoire grince. Et puis merde, le reposer sur le canapé. Bras fatigué. Ai faim. Presque nuit. Tard. Ouais, la cuisine est pas loin. Jeter un coup d'œil dans le congélo. Fourrer quelque chose dans le micro-ondes. Bouffer n'importe quoi. À la fortune du pot. Plus tard. Pas de télé pour l'instant. Mettre à réchauffer ce truc. Si j'arrive à lire les instructions. Marrant, juste appuyer sur des boutons je commence à avoir très faim. Sûr, ça fait longtemps. Mais quand même, deux fois plus faim avant d'appuyer sur les boutons. Pourrais le mettre sur une assiette et faire comme si c'était un vrai repas. Pourquoi se faire chier ? Devrais nettoyer l'assiette. Tôt ou tard. Pas de problème. Et puis zut, c'est de la bouffe. Ça coupe la faim. Ce truc est toujours aussi salé ? Peut-être que c'est la graisse de l'arme qui le rend plus salé. Oh et puis... C'est bon de remuer les mâchoires. Besoin d'exercice. J'ai des muscles dans la main droite et les mâchoires. Ça fait bizarre... léger et douloureux. Dois empêcher mon bras de s'élever dans les airs. Remettre en route la circulation. Suis resté là des heures. Pas étonnant que mon bras soit aussi bizarre. L'effort de manger me fera du bien. Ouais, manger ça maintient en vie. Besoin de rester en vie pour me tuer. Comme ce prisonnier à Sing Sing. Osning sur Hudson... Riverview Estates. Quand ? Peut-être les années trente. A essayé de se suicider quelques heures avant de passer sur la chaise électrique. L'ont conduit fissa à l'hosto, fait venir des spécialistes, lui ont sauvé la vie, puis l'ont rapatrié dare-dare à Sing Sing à temps pour être exécuté. D'une logique implacable. Comme tout le reste dans ce monde. Me demande s'ils l'ont inculpé de tentative de suicide avant de l'exécuter ? Me rappelle pas où j'ai lu ça. Dans une revue de faits criminels, sûrement. Pouvaient pas juste laisser le pauvre diable mourir. Non. Il fallait qu'ils l'exécutent sinon ça n'aurait pas été juste... ou une absurdité de ce genre. La justice. Voilà ce qu'ils nous ressassent, la justice. Ces limaces hypocrites. Ils adorent tuer, oui. Ils savent que ça arrange rien, que ça empêche pas les gens de tuer. Ils adorent ça, c'est tout. Faut punir quelqu'un sinon la vie vaut pas le coup. Bon sang, les types en prison, ils peuvent faire de mal à personne. À l'extérieur en tout cas. Laissez-les où ils sont. S'ils l'avaient laissé tranquille il serait mort de toute façon. Ouais, peut-être à l'heure... au douzième coup de minuit. Ahh, laisse tomber. Pas la peine de s'énerver. Mourir c'est une chose, devenir cinglé une autre. Aurais peut-être pas besoin de presser la détente. Les plats décongelés auront ma peau. Pas étonnant que les Américains soient en aussi mauvaise santé, s'ils bouffent ces saloperies. Ouais... et McDonald. Bon sang, quel genre de papilles ils ont ? Est-ce qu'ils en ont seulement ? Élevés aux chips et au soda je suppose qu'on n'a plus une seule papille quand on arrive à l'âge de traverser tout seul la rue. Servez-leur un repas sain, qui a du goût et ils tombent malade. Besoin de merde polluée. Comme l'air frais... ça les tuerait. Tiens, voilà une bonne idée. Une nouvelle forme de guerre. Tuer la population avec de l'air frais et des bons petits plats. Ça marcherait. Que deviendraient les mafiosi s'ils pouvaient plus fumer à la chaîne et boire des espressos ? Ils tomberaient comme des feuilles en automne. Suffoqueraient, s'étrangleraient, halèteraient. Pourquoi est-ce que le FBI n'y a pas pensé ? La nouvelle arme anticrime. Pour les torturer faites-leur boire du café allongé et fumer des extra-légères, double filtre, fausses cigarettes. Ils vous avoueront n'importe quoi, même l'assassinat de Kennedy. Une façon d'en finir avec les théories du complot. Même l'Inquisition n'y a pas pensé. Pardonnez-moi mon père car j'ai péché. J'ai eu des pensées impures.

Ça oui vous en avez eu. Vous vous prenez pour qui, hein, à causer comme ça ?

Mea culpa mon père.

T'as intérêt mon con.

Putain de mea culpa.

T'as raison. Fends-toi de quelques ave maria et de pater noster. Et n'oublie pas la thune dans le tronc – hé, pas la peine, file-la-moi, on nous pille toujours nos troncs.

Merci mon père. Oui mon père.

Ah oui, et rappelle-toi, te branle pas.

Pigé padre.

Ben voyons, t'as tout compris. Il n'est pas possible de croire vraiment à quelque chose. Pas ici. Les gouvernements ? Au mieux ils sont abjects. Ouais, abchectes. Dans le meilleur des cas, le bien supérieur, ils sont hypocrites. Ils tuent et pillent sans arrêt parce que ça rapporte, c'est bon pour le Résultat Financier, le saint-graal du capitalisme. Jamais laisser un truc comme l'aide sociale se mettre en travers des bénéfices des entreprises. Allons, soyez réalistes, que signifie la vie de quelques millions de personnes si elles se mettent en travers de nos... baissez la tête les enfants... Résultat Financier. Et l'église. L'église ! Cette saleté d'église, CES FUMIERS !!!! La seule chose qu'ils savent faire c'est enculer des jeunes garçons. Je crois qu'ils réservent les fillettes pour les nonnes. Mais pourquoi est-ce que je pense à ces trucs, bordel ? Je supporte pas de vivre dans ce monde pourri. Pourquoi me torturer ? Pourquoi est-ce que je continue à regarder le monde et à le voir tel qu'il est vraiment ? La douleur de vivre est insupportable quelles que soient les circonstances, pourquoi est-ce que je me fais du mal comme ça ? Bon sang ô seigneur. Aide-moi. Aide-moi je t'en prie. Si tu existes vraiment, sale petit bâtard de juif, aide-moi à en finir. Je sais que t'as pas les couilles de te suicider, t'as forcé les autres à le faire et t'as leur sang sur tes mains. Pilate voulait juste que tu ailles te balader, mais tu as refusé, tu l'as forcé à te livrer à la foule et maintenant ils doivent partager la faute de ta mort. C'est pour ça que t'es revenu si vite, pour racheter tes péchés… ouais, et t'as eu largement le temps pour ça. Non seulement t'as forcé tous ces gens à devenir des assassins, mais tu es responsable de la Chrétienté, et des centaines de millions et de millions de vies qui ont été détruites. Qui sont encore détruites. Chaque jour. Chaque jour ! T'as la moindre idée de ce que c'est ? Hein ? Est-ce que ça t'intéresse, au moins ? Tu t'en cognes royalement. Bon, j'espère que t'es vraiment le grand kahuna que tu prétends être. Ouais. Comme ça tu peux sentir la douleur de toutes ces centaines de millions d'âmes que tu as aidées à précipiter dans les abîmes du désespoir et de l'angoisse. Je ne sais pas pourquoi je prends la peine de te parler. Tu es plus que répugnant. Mais je vais quand même t'offrir une chance de te racheter, de faire quelque chose pour quelqu'un une fois dans ta vie. Aide-moi à presser la détente. Aide-moi à mettre un terme à ma douleur et mes souffrances. Aide-moi à me libérer de cette vie. De cette vie impossible d'angoisse et de malheur. Fais ça pour moi et je te pardonnerai. Je te donnerai l'absolution et tu pourras te tirer vite fait d'ici petit con. T'as 24 heures jc. C'est ça. 24 heures. Et c'est ta dernière chance de rachat. Saisis-la pendant que c'est possible. L'autre grand blaireau dans le ciel doit t'en vouloir sacrément et il est sans doute à deux doigts de te la faire avaler. Ça me gêne pas du tout, mais ça risque de mettre un bout de temps et j'ai envie de sortir de cette merde maintenant… immédiatement ! Je vois pas pourquoi tu aurais le droit de continuer à infliger la douleur et le malheur à ce monde. C'est une proposition que tu peux pas refuser. Tu ferais mieux d'accepter, jojo, cette offre spéciale se représentera pas. Elle est valable qu'une fois. Alors s'il te plaît, casse-toi de là. J'ai pas envie que mes amis me voient en train de te causer. Laisser entrer chez soi des clochards c'est une chose mais toi... Ahhh, j'ai fini mon repas télé et je suis toujours en vie. Bon, ça a pris du temps à Barnard pour crever. L'empoisonnement alimentaire n'est pas instantané. Peut-être que les repas télé font partie du complot communiste. Prendre les capitalistes à leur propre piège. Oh bon sang, presque minuit. Je suis toujours là. Merde! Bon, pas la peine de déprimer. Arriverai peut-être à me suicider demain. Peut-être que je mourrai demain. Si c'est le cas, est-ce que ça fera de moi un plagiaire? Oh bon sang, je tourne en rond. Tout ce que je fais c'est m'enfoncer de plus en plus dans la vase du malheur. Arrive pas à vivre, arrive pas à mourir. La torture éternelle et perpétuelle. C'est toujours ça l'essence et la dynamique de la torture... la menace de la mort qui n'arrive jamais. Rien que la douleur... Rien que la douleur. Avec le temps c'est la promesse de la mort qui est torture. Comment la vie en est arrivée là? A-t-elle été créée ainsi? On dirait que oui. Si on en croit la Bible. Depuis le tout début ils se sont entretués. Des milliers et des milliers d'années avant l'autre sémite. Les chrétiens étaient des bleus côté meurtre, massacre, viol et pillage. Mais ils ont vite appris. Faut leur reconnaître ça.

Mais pas pire que les autres. Ohh, et alors ? Quelle importance. Les gens trouvent toujours un moyen de justifier les meurtres qu'ils commettent. Ça fait partie du fondement de toutes ces religions, la justification. Faire tuer son ami pour avoir sa femme peut se justifier quand vous croyez que c'est au nom de dieu… ou alors j'ai agi sous l'emprise du malin. Les deux marchent. Créer un système de croyance pour justifier l'assouvissement de vos instincts. Peur des homosexuels et des femmes ??? devenez un chrétien fondamentaliste et dites-vous que dieu vous a expliqué qu'ils étaient le mal, du coup on a le droit de les tuer. Mais vous faites pas prendre dans une chambre de motel avec l'un d'eux… le pantalon baissé. Oh le vilain. Bon sang, je crois que je vais aller me coucher. Marre de tout ça. Marre. Dieu merci j'ai pas sali d'assiette. Pas envie qu'il y ait des assiettes sales quand ils me trouveront. Peux pas lever ce foutu flingue. Vais pas tirer. Peux pas le faire… ou presser la détente. Mieux vaut en rester là. Trop fatigué. Pas tirer par inadvertance. Quand ça partira le canon devra être dans ma bouche. Oh bon dieu… Je vais me réveiller. Je le sais. Je vais me réveiller. Les démons seront là à m'attendre. Comme des vautours. À baver. À attendre. En silence. Laids… pire que laids… pire que grotesques. Pire… pire que quoi ? J'en peux plus. Je supporte plus. Le corps tout gauchi. Tout faible. Pourrais pas le lever à deux mains. Faut que je dorme. Peux pas rester éveillé. Vais devenir fou. Dévoré par les démons. Qui me bouffent le crâne. Me sucent la moelle... la moelle de mes os. Font couler de l'acide dans mon cerveau. Les cris des enfants torturés dans mes oreilles. Les ravages du cancer, les hurlements des corps bouffis sur les champs de bataille... tous ces appels au secours, toutes ces supplications qui me lacèrent l'esprit et mettent mon cœur en lambeaux oh seigneur, n'y a-t-il pas de fin à cela? aucun début à effacer? nulle lumière nulle part??? pas de lueur dans les sombres recoins de mon esprit???? Tous planqués sous un boisseau. Bien cachés. Mis de côté pour un autre jour. Pour encore un autre jour... et encore un autre... S'il vous plaît... quelque chose... quelque chose... n'importe quoi, quelque part. Pitié. Je ne demande qu'à mourir. Est-ce trop? trop? Une telle requête serait-elle par hasard déraisonnable? Juste mourir. C'est tout. Pas la richesse... ou la gloire ou le pouvoir ou... ou l'adulation. La mort. C'est tout. La mort. Totalement. Complètement. Irrévocablement. Une simple requête émanant d'une âme torturée. Repens-toi jésus. Rachète tes péchés. Quelle requête simple. Pas de montagnes à déplacer. Pas d'eau en vin... de poissons et de pains... pas de Lazare à faire revenir. Tu as ressuscité ton ami. Quel égoïste. Il manque un corps. Dans ce vaste cet énorme complot de folie il y a un vide, un corps qui manque. Tu ne vois donc pas ce que tu as fait? L'univers est déséquilibré à cause de ton égoïsme. Tu voulais garder ton ami près de toi, c'est tout ce qui t'intéressait. Toi-même. Toujours toi. Y a que toi qui compte.

Regarde un peu la folie de ce monde, un monde qui essaie de remplir ce vide. Combien de vies vont être inutilement détruites ? Je remplirai ce vide. Je propose de rétablir l'équilibre dans cet univers. Je ne fais aucun sacrifice. Je ne prétends pas au martyre, comme tu l'as fait. J'admets et j'accepte mon égoïsme. Mais le besoin est là et je peux l'assouvir. Expie, espèce d'hypocrite. Renonce à ton autoglorification égocentrique. Nous pouvons tous deux être libres. Laisse-moi mourir et tu seras absous de tes péchés. Je te demande… te supplie, que je ferme les yeux et sois doucement enveloppé par les ténèbres, et que ces ténèbres soient éternelles. Oh, c'est là assurément une consommation qu'on peut souhaiter avec dévotion. C'est tout ce que je demande. Pas le salut. Pas la vie éternelle. Juste les ténèbres éternelles. Les douces, les bien-aimées ténèbres. Pitié… pitié, viens à moi… apaise-moi avec les ténèbres impénétrables… les ténèbres pour cette nuit et pour l'éternité… Ahh douce obscurité bénie… mon cœur t'implore… mes bras veulent t'étreindre, mon esprit désire ardemment ton baiser. Efface mes larmes de ton baiser… apaise mon cœur tourmenté avec ton obscurité.

Une supplique sacrée émane de l'homme en proie à l'angoisse de la condition humaine. Ne l'avez-vous pas vue partout, et plus particulièrement en vous-même ? Elle fait simplement partie du dilemme… contradictions, vacillement, confusion, aveuglement, il n'est qu'un homme. N'êtes-vous pas ému de le voir lutter pour demeurer dans l'obscurité, se démener de son mieux, une dernière fois, pour éviter d'admettre qu'une autre journée l'attend, passée à sentir la douleur dans chaque cellule et chaque fibre de son être ? Quelle est cette atroce douleur qui sourd de son corps tandis qu'il s'agite, recherchant la position magique qui lui permettra de retrouver le sommeil, la miséricordieuse obscurité qu'il chérit tant. Un masque opaque, des boules Quiès, étreindre l'oreiller, toutes ces choses qui ont pu l'aider par le passé. Tout tenter pour grappiller encore quelques minutes de sommeil, mais dans le sommeil quelques minutes peuvent être des heures, la seule chose qui compte c'est de ne pas se réveiller au point d'avoir besoin de se lever, d'avoir une fois de plus à affronter la journée. Il sait, comme tout le monde le sait, que ce moment viendra, comme toujours, mais il importe de le repousser le plus longtemps possible. Une fois levé l'inévitable se produit. Ne pas balancer le masque contre le mur, ne pas crier quand la lumière filtre par les volets, ne pas brandir le poing à la face du monde, admettre simplement qu'une autre journée a commencé, une journée qui mettra sans doute un terme à toutes ces journées. Mais je n'en crois rien. Je n'ai toujours pas trouvé le moindre défaut en cet homme. Je dis cela quand bien même il met une fois de plus le canon de son arme dans sa bouche, ferme les yeux et essaie de contraindre son doigt à presser la détente. Une autre journée pénible, pitoyable et pénible. Une journée quasi semblable à la précédente, différente seulement en ce que chaque journée est toujours nouvelle, la douleur nouvelle et pourtant ancienne et sans fin.

Dois ressembler à un point d'interrogation. La tête qui veut pas se redresser. Qui pend comme un melon. Bon sang, mais à quoi je dois ressembler plié en deux avec le canon d'une arme dans la bouche? Les animaux restent pas comme ça avec un canon dans la bouche. Ils vivent aussi longtemps qu'ils le peuvent. Suivent leur instinct et leur instinct leur dit de vivre. Ils ne pensent pas. Ne réfléchissent pas et ne méditent pas. Ils ne pensent pas et se contentent de vivre. Je pense donc je meurs. Mais je ne suis pas mort. Je suis là avec le canon d'une arme dans la bouche... pas un hautbois, pas une flûte à bec, pas une clarinette ni même un flûtiau. Je suis resté tellement longtemps avec ce truc dans la bouche que c'est devenu un prolongement de ma langue. Je suis resté tellement longtemps avec ce truc dans ma bouche qu'il a produit un changement génétique. Ce qui aurait pu prendre des générations et des siècles infinis a été accompli en un rien de temps. Si je devais engendrer un enfant à cet instant précis sa langue naturelle passerait par le tube creux du métal de l'arme. Impossible de savoir quelle longueur elle ferait. Plusieurs centimètres... mètres... qui sait? La totalité ne tiendrait peut-être pas dans la bouche. Elle pourrait pendre et se balancer, collée, peut-être, au torse de l'enfant. Et si je restais comme ça indéfiniment, est-ce que le prolongement métallique de la langue serait attaché à une main ? Aurait-on l'impression que la main cherche à entrer dans la bouche ou à sortir de la bouche ? Quelle sorte de monstruosité hideuse serait ainsi créée ? Comment se nourrirait-elle ? Comment peut-on mâcher avec la langue qui pend hors de votre bouche ou avec le canon d'une arme enfoncé dans la bouche ? Cette chose pourrait-elle parler ? Est-ce que je peux parler maintenant ? Je ne comprends pas ce que je dis. Je sais ce que je veux dire, mais est-ce que je le dis vraiment ? Pour qu'on puisse me comprendre ? Si personne ne m'entend est-ce que je parle ? Est-ce que ma tête s'est abaissée un peu plus ? Qui peut répondre à ça pour moi ? À qui je pose cette question ? Je parle et parle et parle mais ne dis rien. Ma tête grouille de mots et pourtant je suis silencieux. Je suis torturé et tourmenté par les mots et pourtant je reste muet. Si les mots provenaient de l'extérieur je pourrais les détourner comme avec un repoussoir et rire et m'en sortir, mais je suis immobilisé par les mots qui résonnent et se réverbèrent et lacèrent et donnent des coups de couteau dans ma tête. Est-ce vraiment les mots qui pèsent sur moi et font que ma main glisse de plus en plus le long de ma poitrine, le canon s'enfonçant davantage – non, le canon ne peut pas s'enfoncer plus si la main s'abaisse encore, comme elle le doit. Jusqu'où le canon peut-il s'enfoncer avant d'être éjecté par un haut-le-cœur ? Cela ne saurait arriver. Le canon doit rester stratégiquement inséré dans la bouche afin que si la détente venait à être pressée accidentellement l'arrière de mon crâne finisse incrusté dans le mur. Paraît bizarre. Mais pas horrible. Ce sera pour le spectateur. Moi, je ne verrai pas. Je serai simplement un motif du papier peint. Donc, rien ne change. Même si la mort approche et que le temps s'épuise… rien ne change. Seules les apparences. Dieu merci je ne peux pas me voir. Est-ce que je pleurerais si je voyais ce triste spectacle, un homme qui essaie désespérément de mourir au point de ressembler à… à… à ça, le corps plié, tordu, le canon d'une arme apparemment intégré à son anatomie ? cela me dérangerait-il ? Proposerais-je mon aide ? Supposons que je… le moi assis sur le canapé, dise oui, je vous en prie appuyez mon doigt sur la détente. Que ferais-je alors ? Ressentirais-je une compassion et une empathie si profondes que je ferais comme on me le demande ; ou déclinerais-je par peur d'être un assassin ? J'en sais rien. Est-ce pour ça que je suis incapable de presser la détente ? La peur de devenir un assassin ? Non. Votre vie vous appartient, vous pouvez y mettre un terme si vous le voulez. Point final. J'emmerde la religion. Et ses purgatoires et ses enfers. La seule raison pour laquelle je voudrais éviter l'enfer, s'il existait, c'est qu'il est plein de croyants. L'enfer doit être peuplé de dévots, de fondamentalistes, de Barnard. Je soupçonne que quand on meurt on meurt. Quand est-ce que je meurs ? Quand est-ce que je meurs ??? Tous les jours, toute la journée, et cependant la mort ne cesse de me fuir. Presse cette putain de détente. Je crois que je peux même pas sortir ce truc de ma bouche. Je dois presser la détente ou passer le reste de ma vie comme ça. Je suis en train de passer le reste de ma vie comme ça. Tout ce que j'ai à faire c'est presser doucement la détente, tout doucement, une simple pression. Je l'ai fait au stand de tir. Visé et pressé la détente lentement. Pas eu de problème. Tout cet entraînement pour rien. À quoi ça sert putain de savoir s'y prendre si on peut pas le faire quand il le faut ? C'est dément. Je sais la démonter et la remonter les yeux fermés. Peux pas presser la détente. Le doigt refuse tout simplement de la presser. Pas d'effort. Pas de douleur. Juste une pression. Je vais tomber de ce canapé. Peut-être qu'alors je la presserai. Mon estomac hurle de faim. Il lui faut davantage que le goût du métal. Il lui faut davantage que des pensées. Davantage que de l'air. Il lui faut de la nourriture. Très bien. Comment je fais pour me préparer à manger avec une seule main ? Même un plat réchauffé. Peut-être que je peux le sortir avec mon autre main ? Pire qu'hier. Les muscles, les articulations bloqués. Tard. Léger rougeoiement dans le ciel, mais plus pour longtemps. J'aimerais avoir envie de manger. Comment puis-je avoir aussi faim et ne pas avoir envie de manger ? Bizarre. Non. Envie de manger. Pas envie de me préparer à manger. L'avoir tout prêt devant moi. Pas maintenant. Peut-être plus tard. Pourquoi manger si je vais mourir ? Se donner toute cette peine ? Supposons que j'arrive à sortir ce truc de ma bouche et que je me réchauffe un plat, et que une demi-heure plus tard je suis mort. Tout ce dérangement pour rien. Je me délite. Le bras et la main de nouveau gourds. M'en étais pas aperçu. Peut-être depuis des heures. Pas étonnant que mon doigt arrivait pas à presser la détente. Faut que je le sorte de là. Ma mâchoire semble coincée. Les dents serrées dessus. Savais pas. Depuis des heures et je le savais pas. Faut que je m'empare de mon poignet avec l'autre main et — non. Me casser les dents. Pas besoin de ça maintenant. Me sens suffisamment mal. Voyons voir, qu'est-ce que je pourrais bien faire… commencer par la mâchoire. Ouais, l— non, un instant. Bon sang, j'ai pas les idées claires. Ça fait combien de temps que je suis assis comme ça ? C'était encore le matin quand je me suis levé. Nuit à présent. Doit être plus de neuf heures. Je suis figé dans cette position. Comme un vieil Indien recroquevillé au-dessus d'un feu de camp. D'abord… d'abord… oui, quoi d'abord, bordel ? ah oui, bien sûr. Faut que je me penche sur le canapé. Faire gaffe. Que l'arme tombe sur le canapé. Mon dieu, raide de partout. C'est bon, lentement, tout en douceur, faut que je bouge lentement. Très bien, c'est ça, appuie-toi contre le dossier… maintenant, se masser la mâchoire, s'agit de masser lentement et continuer d'essayer d'ouvrir la bouche… ouais… oh ouais ça marche. Je peux la sentir ô bon sang j'espère qu'elle va pas craquer. Je déteste ça quand elle craque. L'impression du bout du monde. Continuer de masser lentement, de bouger lentement, ne craque pas, je t'en prie ne craque pas, juste continuer d'essayer de l'ouvrir, doucement, tout doucement, petit à petit, y aller très lentement, ça marche... ouais, ça bouge, ça bouge pour de vrai, je peux la sentir, ma mâchoire bouge, elle ouvre ma bouche, oh bon dieu, ne craque pas... tout en douceur... ouais... ça s'ouvre... pense pas que les dents touchent le canon... pense... tout... doux... ouais, ouais... ça s'ouvre... très bien, maintenant... tout en douceur... c'est ça, tenir la main doucement... fermement... Encore... un peu... ouais... la sortir... un peu plus... c'est ça... encore un peu... reculer la tête... bien... bien... ça marche... ça marche... presque sortie... bien... oh, je crois que les dents sont dégagées... pas de spasmes dans la mâchoire... dieu merci... elle a pas craqué... déteste cette douleur aveuglante... peux sentir le bout avec ma langue... aaaaahhhhhhhhhh... la poser sur le canapé... peux toujours pas bouger la mâchoire... voilà... la bouche se fermera d'ici une minute... ooohhhhhhhhhhhh merde, mon bras palpite, la vache ça fait mal, le sang doit cogner fort, oh merde, oh seigneur, frotte-le frotte-le à l'intérieur du coude...

voilà, je suis de nouveau debout, mais je suis flagada... zut, je peux pas marcher... eh merde, suis resté là si longtemps que je peux plus marcher... Bon, faut juste que je fasse de tout petits pas... bien... ça marche... zut... comment j'ai fait pour rester comme ça si longtemps au point de me retrouver dans cet état… une fois de plus ? Ça va, ça va bien. Renonce pas, c'est tout. Un peu d'ironie ferait pas de mal. Avaler un bon gros repas bien nourrissant puis me suicider. Ai pas travaillé hier. D'accord. Edison ne renonçait jamais. Les frères Wright ne renonçaient jamais. Persévérer, c'est tout. Bon, le sang circule à nouveau. Les jambes et les bras remuent. Peut-être un peu de bruit. Ça pourrait me faire du bien. Allumer la télé. Bonne idée. Manger un plat tout prêt. Ils méritent bien ça. Aussi nuls l'un que l'autre, j'oublierai ce que je ressens. Ouais, l'impression d'être un raté. Suis resté assis là des années à essayer de mettre un terme au malheur, de vaincre la douleur, ai sans cesse échoué. Peux pas renoncer. Pourtant je suis tellement déprimé que je peux plus essayer. Comment est-ce arrivé ? Comment en suis-je arrivé là… comme ça… à me sentir si mal que je peux même pas en finir avec moi-même ? Je ne me sens pas assez bien pour me suicider. Je mâche. J'entends ma mâchoire craquer. Des mouvements très lents. Pas facile de porter la nourriture à ma bouche. Le bras comme s'il était encore détaché. Pas important. Continuer de mâcher. Réveiller le corps. Mâcher… lentement… soigneusement… mâcher… mâcher. Peux même pas dire que c'est mauvais. Pas important. M'en fiche. Quelle différence ça fait. Rien n'est important. Oh bon dieu, pas ça, pas encore. Combien de temps ? Combien de temps ça peut durer ???? Éternellement. Je suis condamné à passer toutes mes journées assis comme je l'ai fait aujourd'hui. La nuit ressemble à ce que je ressens. L'obscurité serait plus légère que ça. Au-delà du désespoir. Oh bon sang, je n'en peux plus... et pourtant je sais que je vais... vais continuer de me réveiller et vivre une nouvelle journée... une nouvelle journée semblable aux autres... au-delà de la tristesse... au-delà de la nuit... au-delà de l'espoir d'un changement ou d'un soulagement. C'est mon destin... ma vie... continuer de vivre cette journée... Je ne peux même pas essayer de me leurrer en me racontant que demain je presserai la détente. Je ne le ferai jamais. Ça ne sert à rien d'essayer. Inutile de rester comme ça avec ce truc dans ma bouche à espérer, à prier pour que je sois capable enfin de mettre un terme à tout ça et de trouver quelque quiétude. Tout ça c'est une illusion. Un douloureux canular. Espérer la mort est vain. Elle ne vient pas. Seulement une agonie infinie. Je comprends à présent. Oh et très clairement. L'espoir de réussir enfin à presser la détente n'était qu'une tromperie de plus. Eh merde je ressens un dénuement indescriptible. Pas de mots. Il n'y en a pas. Pas pour ça. Il faut juste que je me laisse aller à la futilité et au néant écrasant de ma vie... vide de toute signification... oh bon dieu... quelle vérité d'une tristesse abominable... vide de sens... oui... oui, si vrai, vide de substance... rien à combattre... rien à accomplir... à souhaiter... à espérer... rien même à défier... pas de lutte entre la lumière et les ténèbres, le bien et le mal... pas de lutte pour l'honneur… et le plus triste dans tout ça, pas même un combat contre le néant, pas de lutte pour l'accomplissement… simplement une absence de sensibilité… rien c'est tout… rien… nulle déchéance… aucune intégrité à réclamer ou perversion à abandonner… non… pas même le néant, mais quelque chose de si hideux que c'en est presque ineffable… l'absence totale de quoi que ce soit, même du rien… Je — quoi??? mais de quoi est-ce qu'ils parlent? Ça remonte à loin…

« … et on estime qu'au moins 200 adultes et plus de 50 enfants ont assisté au barbecue organisé en l'honneur de cet événement survenu il y a trente ans aujourd'hui et — »

Je me rappelle. Les infos en ont parlé pendant des jours.

« … comme vous pouvez le voir il y a des baignoires remplies de glace et de pastèques, et d'autres avec du soda et de la bière — »

Me demande où est le bourbon? Hors champ sûrement, oh bon dieu, y a aussi un violoneux.

« … et il s'agit là d'un rendez-vous annuel depuis qu'a été rendu le verdict, trente ans auparavant, mais aujourd'hui — »

Ouais, un jour qu'on se rappelle… un jour extraordinaire. Une autre journée d'infamie.

« … et il est clair personne n'a envie de nous parler, sauf certains des jeunes enfants qui s'amusent et n'ont aucune idée de ce qu'on fête — Oh, voici l'homme qui — »

Bon sang, non mais regardez-le… regardez-les. Ils poussent des hourras et sautent sur place —

« … des pères portent des enfants sur leurs épaules pour qu'ils puissent mieux voir Big Jim Kinsey, qui se promène, serre les mains et donne des claques sur les épaules — Oh, des personnes bloquent la caméra. S'il vous plaît, laissez-nous passer, c'est pour le journal télévisé et — »

C'est bel et bien Kinsey. A dû prendre vingt-cinq kilos en trente ans, mais c'est lui. Pas de doute. Un immense sourire qui lui barre le visage. Ces gens l'idolâtrent… le vénèrent. Un véritable héros populaire…

« S'il vous plaît… S'il vous plaît, laissez-nous passer… laissez — Monsieur Kinsey, pourriez-vous dire quel — s'il vous plaît, laissez-nous — »

« Allons, allons, inutile de s'énerver contre ces gens de la télé, laissez-les passer c'est tout, un peu d'hospitalité que diable, surveillez vos manières — »

Mon dieu, ils adorent ce type. On dirait qu'ils ont envie de massacrer l'équipe télé… bon, ça serait peut-être pas une si mauvaise idée. Ils sont odieux. En tant que groupe professionnel, il est clair qu'ils manquent de décence humaine fondamentale. Pas aussi graves que les avocats et les politiciens, mais ils ne sont pas loin derrière. Dangereux aussi quand —

« Monsieur Kinsey, pourriez-vous dire quelques mots à nos téléspectateurs ? »

« Eh bien c'est très gentil de votre part – Allons, allons, Clyde, ne mets pas ta grosse patte devant la caméra du monsieur — Faut que vous excusiez l'ami Clyde, c'est mon meilleur ami depuis quinze ans... plus, c'est pas vrai, Clyde ? C'est un brave gars, c'est juste qu'il pense que j'ai besoin de protection. »

« T'as raison, on sait jamais ce que ces — »

« Allons, allons, Clyde, pas besoin de te mettre en rogne. »

« Monsieur Kinsey, pourriez-vous dire à nos téléspectateurs à quelle occasion est donné ce barbecue chaque année, et ce depuis trente ans à présent ? »

« Je vais vous dir — »

« Allons, Clyden, calme-toi un peu. L'ami Clyde aime pas trop que les gens mettent leur nez dans nos affaires. Vous savez, nous sommes juste des gens simples de la campagne... comme vous pouvez le voir c'est une petite ville mais nous sommes des gens fiers. »

Mon dieu, écoutez-les pousser des hourras. On dirait des rebuts de la famille Snopes et ils se comportent comme s'ils étaient le sel de la terre.

« ... et donc nous fêtons la victoire de David sur Goliath dans — »

« David sur Goliath ? »

« C'est exact, fiston. Le David de l'Amérique des villages sur le Goliath du gouvernement qui veut nous dire comment vivre et envahir nos foyers et nous nous disons haut et fort, Non monsieur le Gouvernement Fédéral, vous ne nous direz pas ce qu'il faut faire. Nous sommes nés libres et par dieu nous mourrons libres ! »

C'est incroyable. Jamais rien vu de tel. Ils —

« À vous l'antenne. »

« Merci, Steve. C'était Steve Wilson au 30e barbecue célébrant l'acquittement de Big Jim Kinsey après la mort de deux médecins noirs qui faisaient partie du détachement Medicare pour supprimer la ségrégation raciale dans les hôpitaux. Leurs corps mutilés ont été retrouvés aux abords de la ville, dans un fossé, et alors que de nombreux indices reliaient Jim Kinsey aux crimes, il a fallu à peine plus d'une heure aux jurés pour l'acquitter. Comme vous venez de le voir et — »

Mon dieu… un barbecue… un pique-nique. Une commémoration annuelle. Depuis trente ans. Tout le monde sait ce qui s'est passé. Tout le monde. Ils s'en fichent — non, non, c'est le contraire, c'est important pour eux. C'est pour ça qu'ils commémorent la chose. Ils sont fiers de ses actes… ouais, et se cachent derrière… eux. Il a fait ce qu'ils auraient aimé faire. C'est un héros. Ils ne pouvaient pas le faire, mais lui l'a fait. Il était heureux. Rayonnait. Pas de remords. Pas de sentiment de culpabilité. Rayonnant… et libre. Ces deux morts ne comptent pas… ils n'existent même pas. Des innocents qui essayaient d'aider d'autres gens. Effacés… comme… comme de la craie sur un tableau… comme une faute… juste effacés. D'un coup. Ils mangent des grillades, boivent de la bière fraîche, sirotent du whisky à une cruche, rient et crient, se donnent des claques sur les genoux, sur les épaules, les violons grincent et geignent et tout le monde passe du bon temps. Ils protègent leur héritage. Les droits de leur État. Écoutent les preuves puis se retirent dans une pièce et parlent du temps, des récoltes, de la pêche dans l'étang de Hastings Bend. Regardent leur montre. De temps en temps. Nous sommes en train de délibérer. La justice et l'ordre. Réparer le tracteur de Larry. La fourgonnette de Dewey. Jamais rien vu comme la vache cinglée de Leary. Font venir à manger. Le comté qui paie. Finissent de manger. Bourrés au Coca. Se lèvent et s'étirent. Bon, c'est l'heure d'y aller. Air solennel. Manquent se fendre la gueule en voyant ce brave Big Jim assis là. Oui nous avons délibéré votre Honneur (oh, je veux qu'on a délibéré, et bien avant qu'on se retrouve dans ce jury). Pas de cris de joie ou de bonds quand le verdict est lu. 12 visages graves, tandis que les autres crient de joie et donnent des claques dans le dos de Big Jim, qui intérieurement chante et crie et rit, putain, ça fait du bien d'être en vie. Personne va nous apprendre comment vivre ça fait pas un pli. Non, personne ne peut leur apprendre à vivre. Et sûrement pas comment penser. Cockcola et bourbon. D'où vient une personne comme ça? Toute une population qui fait de lui un héros? Bon dieu, c'est révoltant. C'est faramineux... Ouais, même Barnard. Enfin... peut-être pas? Peut-être qu'il était plus insidieux. Personne ne saura jamais combien d'hommes, de femmes sont morts parce qu'il «faisait juste son boulot». Personne ne saura jamais. Au moins Big

Jim l'a fait lui-même. La main à la pâte. Il ne s'est pas caché derrière son bureau et la bureaucratie. Faut lui reconnaître ça. Mais pas de justification quand même. Ils ont tous deux détruit des vies innocentes... pas de justification. On peut pas échapper indéfiniment à la justice. On n'a pas le droit de laisser croître le mal... surtout quand il a été démasqué. Non, absolument pas. Permettre ça... permettre au mal de prospérer c'est en faire partie... l'encourager. Retenir les leçons de Nuremberg. D'où est-ce qu'il vient ? Qu'est-ce qu'il fait ? Comment il vit avec ça ???? Monsieur Kinsey, Big Jim, mon vieux poto, j'parie que t'as jamais entendu causer de l'Internet. Bon, te bile pas pour ça, parce qu'il va tout me raconter sur ta pomme. Oh oui Big Jim, il va me dire la pointure de tes chaussures, la couleur de tes yeux, la marque de ton slip, et si ça t'arrive de le laver. Oh monsieur Kinsey, tu sais quoi ? je peux rester là dans le confort de ma maison et en savoir plus sur toi que ce que tu sais... enfin, ça fait pas beaucoup, n'est-ce pas, vu que t'as sans doute aucune idée de qui t'es et ce que tu fabriques... tout comme le reste de ta clique. Bon, je vais te dire un truc que tu pigeras jamais : l'aveuglement, tout est là. Le fait de rien voir de ce qu'on fait. Je ne fermerai pas les yeux... j'en saurai plus sur toi que tu en sauras jamais sur toi-même. Tu es un immonde cafard et les cafards on peut les éliminer afin qu'ils n'aient plus le droit d'empester l'air que nous autres respirons, ou la terre sur laquelle nous marchons. Toi et ton ignorance avez causé assez de ravages sur nous tous, oh bon dieu, ils votent, tous les Big Jim et ces braves types votent... pas étonnant qu'il y ait autant de Jesse Helms au Congrès, et nous payons le prix de leur ignorante malveillance...

N'est-il pas écrit que tu connaîtras un jour la quiétude? Notre homme est tellement absorbé dans sa nouvelle tâche qu'il ne se rend pas compte à quel point elle le domine. Ignore également qu'il ne sait pas où est l'arme, l'arme qui a fait tellement partie de lui pendant 2 jours qu'il ne pouvait pas dire où finissait son corps et où commençait l'arme. Pendant de longues heures interminables il est resté sur le canapé avec le canon de l'arme dans la bouche, espérant mettre un terme à sa vie tragique et douloureuse, ne désirant rien d'autre que de quitter ce néant pour un néant définitif et éternel, mais, une fois de plus, en un clin d'œil il a écarté le voile de ce néant sans même s'en rendre compte, sans l'avoir prémédité. Cela ne s'est-il pas déjà produit? De nombreuses fois?

Dans son cokcola, comme c'est judicieux et poétique d'accomplir cette petite cérémonie le jour du barbecue, quand la ville fête la leçon infligée aux négros... Pourrais juste en verser sur toutes ces belles côtes de bœuf, qu'ils puissent tous y goûter. Non, peux pas faire ça. Peux pas tuer des innocents des INNOCENTS!!!! Des innocents? Ouais, il y en a... je suppose. Les enfants, certainement. Et quelques jeunes. Ont sûrement aucune idée de quoi il s'agit. Mais la plupart méritent de mourir autant que Big Jim. Les jurés, ça c'est sûr. Peux trouver leurs noms en une minute. Sans doute encore vivants, tout comme lui. Les siens ne meurent jamais... ils ne disparaissent même pas. Pourquoi ? Pourquoi bon dieu prospèrent-ils à ce point ? On dirait que rien ne les gêne, jamais. Vivent éternellement et il pleut jamais sur leur défilé. Eh bien, il va pleuvoir sur leur pique-nique. Oh oui, cette fois-ci les cieux vont pisser partout sur ces fumiers. Un empoisonnement alimentaire collectif. Faut que je fasse attention, pas les enfants. J'ai toute l'année pour me préparer, planifier, mettre au point les choses. Hmmm, une année entière. Ça paraît long comme attente. On devrait les éliminer drastiquement et tout de suite ! Prudence. Mieux vaut être prudent. Se hâter, bâcler, tout ça. Il y a quelques sérieux problèmes logistiques qui ont besoin d'être résolus. Pas aussi simple que Barnard. Un café bondé, personne qui vous remarque. Une situation différente. Un petit bled paumé. C'est sûr qu'ils remarqueront un étranger, surtout le Jour de la Liberté. Mais ils ont l'habitude que des journalistes soient présents à leur pique-nique. Pourrais passer inaperçu. Mais supposons que je passe à la télé. Ça pourrait causer des soucis. Se hâter et bâcler. Du calme. Pas besoin de résoudre tous les problèmes maintenant. On se détend... Ouais, il peut pas rester en permanence dans ce trou paumé. Doit avoir besoin d'aller ailleurs. Ouais... si je peux le coincer chez lui alors je peux le coincer sur la route…

Hmmmm… voilà une idée intéressante… Faut que j'y réfléchisse sérieusement. Ces journalistes doivent sûrement en savoir un paquet sur Big Jim, les chaînes télé possèdent toutes ces infos dans leurs bibliothèques… ouais… mais je peux pas y aller, pas discret et trop dangereux. Il a dit quoi déjà ce Big Jim ??? il y a un truc qui m'a fait penser… merde, c'était quoi bordel ???? On dirait que quelque chose en moi a remarqué quelque chose dans ce… bon sang mais qu'est-ce que c'était ??? rien de vraiment extraordinaire, juste un truc en passant, mais qui a fait comme un déclic. Merde, ça s'arrange pas. Quel dommage que je l'aie pas enregistré, non, non, mieux vaut oublier que d'avoir un truc pareil chez soi. Même si c'est juste une image vidéo, des trucs aussi dégoûtants ne devraient pas se trouver ici, Big Jim Kinsey. Le don du Sud à l'humanité. Répugnant, méprisable fils de, merde c'était quoi ? Je vais devenir dingo à essayer de me le rappeler. Ferais mieux d'aller me promener près du jardin public ben voyons merci m'dame et tous mes vœux à la con. Conneries. Arrive pas à m'en souvenir et peux pas m'empêcher d'essayer… je devrais peut-être aller me balader. Une tarte et un café, ça me ferait du bien, et peut-être regarder un peu les gens ou le journal ou je ne sais quoi. Ouais, ça me semble une bonne idée…

Soirée délicieuse. Vivifiante… oui, vivifiante. Bonne idée la veste, bon sang, me rappelle même pas avoir pensé à la mettre. Me demande comment j'y ai pensé ? Je dois être un génie. Qui l'aurait cru ? L'air frais fait des merveilles. Avais aucune idée de la chaleur qu'il faisait, au moins ma tête… ou devrais-je dire, mon front fiévreux ? Ouais, je crois que oui. Je crois que c'est de là que vient l'expression : « Mon sang s'est mis à bouillir. » Me demande à quelle température le sang bout ? Ça alors, les moineaux gazouillent vraiment comme des malades. Ils doivent se sentir revigorés par l'air. Me demande ce qui se passerait si on remplaçait les avertisseurs des voitures par des gazouillements de moineaux ? Plutôt marrant. Faut que j'en trouve un et que je m'installe un cri de geai bleu ou un croassement de corbeau ou… oh bon sang, ça serait trop, un cri de paon. La vache, je crois que je préfère encore le bon vieux klaxon…

Bien, bien, encore quelques dîneurs, si on peut appeler ainsi les gens qui mangent dans un de ces rades. C'est toujours mieux que mangeurs. Qui mange qui ? Oh, ma foi, une tarte aux myrtilles et une crème glacée à la vanille ça peut changer votre perception et apporter un peu de légèreté à l'esprit et au cœur. Je déteste la grossièreté, mais je suis obligé de la manger avec une cuiller. Une fourchette la coupe pas, si on peut dire. Il y a toujours ce dernier vestige de crème glacée fondue et de myrtilles. Oh bon sang si seulement on pouvait vivre de ça. Oh, c'est la consommation dev — J'm'en cogne de ce que tous ces gens disent de moi. C'est ça ! Exact ! C'est ce qu'il a dit. Oh dieu merci j'ai fini la tarte et la glace. Sinon j'aurais dû en laisser un peu et filer chez moi. Quelle merveille que l'esprit. Il a attendu que j'aie fini de manger avant de me donner la réponse. Oh comme les attentions de la Providence sont douces. Vite, rentrons chez nous… chez nous… là où bat le cœur… et l'Internet. Mais un instant mon cher Horatio ? Souffrez que nous prenions notre temps. Tout est en ordre et le sera quand nous nous connecterons. N'est-il pas doux cher Prince de tourmenter quelqu'un pendant quelques précieux instants ? Oui, certes oui. Passe devant les arbres en rang avec les oiseaux qui gazouillent et les voitures en stationnement mouchetées de leurs fianges… non, ce n'est pas ça… de fientes, oui. On dirait des pointillés et des rayons de lune. C'est bien rythmé mais la métaphore est nulle. Quand c'est votre voiture c'est juste des merdes d'oiseaux. Heureusement que les chiens savent pas voler. Ça serait vraiment une évolution répugnante…

Donc, chez soi là où bat le cœur… et l'Internet… Cliquetis clac, cliquetis clac… Ouais, c'est parti… bon, je vais essayer… et encore un… et, Wow ! Une photo et tout oh, plus d'une… Je vois, quelques anciennes. Datant du procès. Il a pris du poids, c'est clair. Un bon appétit et une conscience imperturbable. À tous les coups. Bon dieu, il y a plus d'infos sur ce type que sur Babe Ruth. Quasiment une entrée par jour depuis le procès… hmmm, ça s'étoffe franchement après le premier Barbecue de la

Libération. On dit qu'il faut bien connaître son ennemi, mais alors là…

Besoin que des trucs les plus récents… quelles sont ses habitudes aujourd'hui ? Où est-ce que vous allez Monsieur Big Jim Kinsey ? Est-ce que vous faites du bowling, jouez au ballon, à tel ou tel endroit… non, ces bars sont trop petits, sûrement les mêmes visages jour après jour, année après année… même restau… même magasin… sur la route quelques kilomètres plus loin… non, non… faut que je trouve un endroit où il ira et où je peux me fondre dans la foule et savoir à l'avance quand il y sera. Entrer, sortir. Même pas une nuit au motel. Bonjour, au revoir. Ouais, ciao bye bye. Un endroit grand. Des tas de gens. Un endroit où il va toujours. Des foules dans lesquelles se perdre. Oh Jimmy, Jimmy, tu peux pas rester terré dans ton bled de merde tout le temps. Faut que t'ailles dans des endroits où y a du monde. Tu dois bien aller quelque part… On se calme, on se calme. Largement le temps. Ça fait deux heures que je surfe. Des tonnes à digérer. Tu vas trouver. C'est là, quelque part. Tu vas le trouver. Demain… après-demain… un de ces jours. Pas d'urgence. La journée est longue. Ouais, vraiment longue. Étire-toi… marche en rond pendant quelques minutes… décompresse puis va te coucher. Passé par pas mal de phases aujourd'hui. Putain, ça on peut le dire. Oublié. Une bonne partie de la journée identique aux précédentes. Ce foutu flingue dans ma bouche. Me sentais si mal que j'arrivais pas à me suicider. Merde, y a seulement quelques heures. Cet œil cligne de nouveau. Laminé sur le plan émotionnel. Mais un peu excité. Juste ce qu'il faut. Hâte d'être demain. Il y a toujours de l'espoir… toujours quelque chose qui justifie de vivre. Il suffit de tenir bon jusqu'à ce qu'on l'ait trouvé. Ouais. Dieu merci je l'ai trouvé. Une fois de plus. Vais pouvoir dormir du sommeil profond d'une conscience imperturbable. Alors Big Jim, mon vieux, comme ça on a quelque chose en commun. Ha ha, ouais, si je croyais vraiment ça je me flinguerais. Ahhh, mais c'est pas le cas et du coup t'es bon pour le cimetière. Oh Big Jim, tes jours sont comptés et limités. Ouais… comptés et limités comme ton intelligence… espèce de gros tas sectaire. Et voyons un peu combien de jurés sont encore dans les parages. Ce sont bel et bien tes pairs et vous vous méritez indubitablement les uns les autres, hé une minute… J'avais jamais remarqué ça ou alors pas réfléchi à la chose. Tout ce truc des trente ans et j'ai même pas fait le calcul. T'étais juste un jeunot alors, pas vrai Jimbo ? Tu devais avoir dans les vingt et quelques. Trop vieux pour passer les rites de l'âge adulte, hein ? mais c'est peut-être ce que tu faisais ? T'essayais de prouver quelque chose. Pas très futé, sorti du collège et parti travailler dans une usine d'emballage de poulets. Parcours scolaire « médiocre ». Intellectuellement, le dernier de la classe ; Socialement, le fond du panier ; Athlétiquement, pas même second quand il s'agissait d'écluser des bières. Ainsi donc, Big Jim, t'étais un sacré zéro, un rien, isolé, paumé, un pauvre petit agneau qui s'est égaré. Bon sang, t'étais même pas un bon mécanicien automobile. Tu zonais juste dans un vieux pick-up déglingué. T'as sûrement pas eu de cavalière au bal de fin d'année, si tant est qu'ils aient organisé un bal. T'es resté chez toi à t'éclater tes boutons. Ouais, un mauvais plan Jim. Quand t'es invisible dans une ville grande comme la tienne t'es vraiment l'homme invisible. Mais tu n'es plus invisible. Tu es quelqu'un à présent. Admiré. Respecté. Un barbecue annuel en ton honneur. Oui monsieur. Et tout ce que t'as eu à faire c'est de tuer deux toubibs noirs. Dis donc, quand t'iras au grand barbecue céleste, je me demande si ces médecins seront là à t'attendre ? Ça donne à réfléchir, moi je trouve. Imagine que t'aies à passer une visite médicale. Une visite complète, avec lavements, sondes, tout le tralala. Oh la vache, je me demande si l'un d'eux était proctologue. Oh Big Jim, je pense que tu ferais mieux de choisir l'enfer, ça te plaira nettement plus. De toute façon, assez là-dessus pour l'instant. Faut que j'aille me coucher et que je repose mes vieux os et mes yeux fatigués. Mon dieu, hier soir je suis allé me coucher avec le goût du canon métallique dans la bouche et aujourd'hui j'ai travaillé jusqu'à ce que mes yeux se ferment tout seuls et j'ai hâte de me lever demain matin et de me remettre au travail. J'ai vraiment le sentiment d'avoir une raison valable d'être en vie, d'avoir quelque chose à faire.

Oui, n'est-ce pas merveilleux tous ces changements qui peuvent se produire en un rien de temps ? Chacun n'a-t-il pas besoin d'une raison de vivre ? D'avoir un but afin de supporter toutes les pénibles épreuves, les exigences déraisonnables imposées par la vie à la fragilité humaine ? Effectivement, tel est toujours le cas. Et n'a-t-il pas accompli un travail exceptionnel en endurant les épreuves qui lui sont imposées ? Regardez... regardez comme il dort profondément, innocemment. Comme il représente bien le mélange de fragilité humaine et d'endurance. Même dans les abîmes de son désespoir j'ai eu confiance en lui. Ne l'a-t-il pas toujours emporté sur lesdites épreuves et tribulations ? Peu importe, quand je regarde en lui je ne trouve aucun défaut. La vengeance appartient au Seigneur, mais le châtiment est entre les mains, et dans le cœur, du vertueux. Dors bien. Repose bien ton robuste cœur et ton esprit innocent irréprochable guerrier.

... mon dieu, il doit y avoir des centaines, des milliers de gens qui ajoutent des informations à ce site web. Savais même pas que ce type existait, mais manifestement des tas de gens sont au courant. Pourquoi est-ce que personne ne l'a tué ? Suppose qu'ils savent pas comment s'y prendre sans se faire coincer. Je suis sûr que je suis pas le seul à ne pas vouloir finir en prison pour avoir tué une vermine comme ça. Il ressemble à un cochon en peluche. Me demande si quelqu'un filmera ça. Une fin géniale pour son site web. Ouais, un joli dénouement bien propret. Mais comment refiler de l'E.coli à lui et aux jurés? Serai sûrement obligé de tout faire la même journée. Peux pas faire plus d'un voyage... trop dangereux. Des tas de clichés des jurés après le procès, mais maintenant? Voyons voir lesquels sont encore vivants... y en a deux qui semblaient assez âgés au procès pour être morts aujourd'hui. Trente ans c'est trente ans. Ce vieux Big Jim a peut-être encore trente ans devant lui... ouais, c'est juste Jimbo, tu les as peut-être mais t'auras pas l'occasion de les vivre, et ça c'est sûr et certain, je vais — Wow, regardez-moi ça. Une photo de groupe lors du premier barbecue... ouais, ils en prennent une chaque année. Putain, ces gens sont rapides, celle de cette année est déjà en ligne. Ouais, m'en doutais, plus que onze. Apparemment le vieux Bubba est mort il y a quelques mois... Je savais même pas qu'il était malade. Ignore quand JR est mort. Espère que c'était douloureux. Deux de moins à étudier. S'ils meurent tous d'un empoisonnement alimentaire, et qu'il y a qu'eux, ça va paraître louche. Pas besoin d'être Sherlock Holmes pour voir quelque chose de bizarre là-dedans... Ouais... c'est vrai... quelle différence ça fait? Ils peuvent avoir tous les soupçons qu'ils veulent, autopsier tout ce qu'ils veulent... même croire ce qu'ils veulent. Ça les amène où? Onze personnes mortes à la suite d'un empoisonnement alimentaire. Donc ça peut pas être une coïncidence, et alors? Pas de problème... tout simplement pas un problème. Peux même épicer un peu le projet. Une belle conclusion au site web. Oh non, pas question, c'est une tentation à laquelle je ne céderai pas. Je n'ajouterai pas un mot. Ça sera marrant de voir ce que diront les gens quand ils crèveront tous. Assez, assez délirer, faut que je m'occupe de télécharger les photos et de trouver un moyen de mettre les cultures dans leurs verres… et uniquement dans leurs verres. Bon, peut-être aussi le pote de Big Jim qui arrêtait pas de mettre sa grosse patte devant la caméra. On va voir comment ça se passe. Tiens voilà sa pho — ouais, il est là, Clyde. Ouais, une douzaine. De bonnes photos. Pas de problème pour les reconnaître… merde, j'ai le vertige. Bon sang, j'ai pas mangé aujourd'hui. S'agirait de se réchauffer quelque chose. Le premier truc que je trouve. Peux encore me taper deux bonnes heures de boulot.

… faut que je prenne soin de tous ces docs. Que du bon… de belles photos. Y a quelqu'un qui veille à la qualité sur ce site. Quand j'irai où c'est que je dois aller je reconnaîtrai ces types dans le noir même s'ils me tournent le dos. Ouais, où est-ce que je vais aller ? Qui sait, je reconnaîtrai l'endroit quand j'y passerai. Faut que je les chope ailleurs qu'au barbecue où ils se retrouvent tous… un endroit public… accessible. Il est là, quelque part dans toute cette information. Un endroit où un étranger ne se fera pas remarquer. Juste un visage anonyme parmi d'autres. Aucun rapport avec Big Jim. Un zéro avant le procès, un zéro après, sauf que maintenant c'est un zéro célèbre. Aime les cigarettes Marlboro, le café, la bière, les rutabagas, les biscuits et le gras, les côtes de bœuf, le gruau, etc., etc. Bon, j'ai largement le temps. J'ai aussi un paquet d'informations. Mes yeux se ferment. Une autre journée. Incroyable. Les jours précédents ont duré une éternité, les deux derniers une seconde. Bon dieu, regardez-moi cette masse de papiers. Pas étonnant que mes yeux se ferment. J'ai épluché des tonnes de docs. Oh c'est fort. Ai vraiment été productif. Demain est un autre jour. Un autre jour qui me rapproche du décès de Big Jim. Ouais. C'est exact ! Big Jim Kinsey m'a donné une raison de vivre. Je n'aurai plus à sucer le canon de mon flingue. Ma vie n'est pas dénuée de sens. La jeunesse jaillit éternellement dans mon esprit et dans mon cœur. Et toi, Jimbo ? Qu'est-ce qui jaillit dans ton cœur et dans ton esprit ? Bon sang, j'aimerais bien le savoir. As-tu seulement un cœur ? je sais que tu as un esprit, et qu'il est corrompu et contaminé, comme une fosse d'aisance. Un endroit terrible où vivre. Peut-être que Quayle pensait à toi Jimbo… l'esprit est une chose terrible. Surtout quand on le laisse sans surveillance. Quelqu'un a-t-il jamais pris la peine de s'occuper du tien ? As-tu eu le cœur brisé quand tu étais jeunot ? hein ? c'est ça qui a empoisonné ton pauvre esprit resté sans surveillance ? Des gamins se sont-ils moqués de tes fonds de culotte troués ? T'ont-ils charrié à cause de ta mèche sur le front ? Quelle sorte de mauvais traitement a desséché ton cœur et souillé ton esprit ? Ou bien est-ce génétique ?

Est-ce que l'ignorance et le fanatisme deviennent génétiques après un certain nombre de générations? Es-tu un produit de ton environnement, de ta famille, des droits de l'État? Tu n'es peut-être qu'une saloperie de fils de pute et resteras toujours une saloperie de fils de pute peu importe ce que papa ou maman ont fait ou n'ont pas fait. Achhh, faut pas que je me laisse aller à ça sinon cette maladie va me contaminer. Aucune envie d'aller me coucher avec ces ordures dans la tête. Impératif que je demeure détaché, objectif, aucune implication émotionnelle d'aucune sorte. Exact, comme chirurgien sur le point d'amputer un membre infecté qui met en danger la vie d'une personne. Dois demeurer détaché pour être efficace. Non, tu ne vas pas me contaminer James Kinsey. Je vais aller m'étendre sur mon lit et me laisser gagner par un sommeil reposant et agréable et me réveiller au matin avec la douce lumière du soleil qui filtre par les volets et les rideaux et saluer gaiement la nouvelle journée et sourire et chanter en me levant, aller pisser, me doucher, me raser, m'habiller, et continuer d'en apprendre un peu plus sur le Jim Kinsey du passé pour pouvoir, le plus rapidement possible, faire en sorte qu'il n'ait pas de futur.

Cet homme m'émeut. Ses sentiments sont tellement sincères, n'est-ce pas? Ce n'est pas seulement qu'il est irréprochable. Non. C'est à présent sa vertu qui brille d'un immense éclat... tout comme sa conscience.

… oublié de bouffer une fois de plus. Faut que je réchauffe un truc et que je me remette au travail. Bonne idée de faire quelques minutes de pause et de réfléchir à ça, qu'est-ce que je vais manger??? Hmmm, Lasagnes aux légumes. Sans blague. Je croyais que c'était un truc à la dinde. Faut que je réfléchisse. Des tonnes d'infos sur ces types — merde, arrive pas à me faire à ce qu'il y ait deux femmes. Me demande pourquoi? Bizarre. Suppose qu'ils acceptaient les femmes comme jurés, du moins les femmes de race blanche. M'étais pas rendu compte que Joey c'était Josephine, et Les était Leslie. Pas évident à voir sur les vieilles photos du jury. Un peu floues. Cherchais pas des femmes. Oh et puis c'est pas très grave. Y a 2 femmes. J'ai cinq kilos de dossiers sur eux. Ça aide pas vraiment. Arrive pas à trouver le Plus Petit Dénominateur Commun. Inutile de continuer à chercher. Sans doute impossible de les zigouiller tous en une fois. Ouais, sûrement. Bon, on verra ce que la Providence a dans la tête. Les avoir tous d'un coup est pas évident. Qui sait quelle occasion peut se présenter… Bien sûr il faudra également s'occuper d'elles. Le fait que ce soit des femmes ne change rien. Ils partagent tous la responsabilité. Question d'égalité des droits. Les féministes l'ont prouvé. Aucune envie qu'une organisation féministe me fasse un procès pour discrimination. Oh que non. Est-ce qu'elle peut porter plainte contre une « personne anonyme » ? Comment elle s'y prendrait? Machinchose/machinechose ? À qui de droit ? Me demande comment les tribunaux traiteront l'affaire. Une question juridique intéressante. Ce sont toutes deux des mères… et les hommes ont des enfants, au moins huit d'entre eux. Marrant que ça soit censé faire une différence. Si vous avez donné naissance à un enfant votre responsabilité diminue. Dingue. Coupable veut dire coupable. Faut que je sache, donc, si je veux continuer — non, non. Assez de recherches comme ça sur ces gens. Je vais devenir dingue. Me concentrer sur Big Jim. Trouver un endroit fréquenté. Il me montrera le chemin. Où pourraient-ils tous aller où je ne me ferais pas remarquer ? Si je me transformais en pic-vert je me ferais repérer dans cette ville. Faut que ça soit un endroit dans la région… genre une usine de mise en bouteille de cokcola, ça serait super pratique… un hippodrome, une course de cochons, une connerie dans ce genre — ouais, une course de cochons. Une foire de village. Ils iraient sûrement tous à une foire ? Obligés. Qu'est-ce qu'il y a d'autre à faire ? Trouver les œufs en chocolat à Pâques ? Iront sûrement tous ensemble. Bien sûr. Même bus. Histoire de bien se marrer. Je suppose. Ils se pointeront bien tôt ou tard ? Pas obligé de les zigouiller tous le même jour. Est-ce qu'un ventre rempli de bière tuerait les microbes ? Je crois pas. Faut que je vérifie ça. Une foire de village. Bonne idée. Sans doute au siège du comté. Je pense que c'est comme ça que ça se passe en général. Peux vérifier tout ça assez facilement. Juste m'assurer que j'ai assez de cultures. Ouais, une bonne dose, ils ont besoin d'un max de culture. Ça va les civiliser ces rustres. Il paraît que leur problème c'est le manque de culture – oh là, ho là, ho là, c'est quoi ça, Leslie Snopes arrive troisième au tir d'élite du concours de tir de la Foire du Comté! Bien sûr, c'est là qu'ils se retrouvent tous. C'est pas des bouseux de fermiers. Non, mais pour sûr ce sont tous des porcs. M'a l'air heureuse. Gros sourire à la con. On dirait que son flingue fait partie d'elle. Oh, un instant, les féministes devraient regarder ça. Elle a eu la médaille pour la troisième place dans la « Section Femme » alors qu'elle a fait un meilleur score que l'homme arrivé troisième. Je crois que je vais appeler la Commission de l'Égalité des Droits. C'est du sexisme flagrant. Je suis atterré, sidéré de voir que le sexisme existe dans notre beau Sud. Parie qu'ils ont oublié comme on les garde pieds nus et enceintes. Me demande ce que ce vieux Big Jim pense de ça. Je le vois pas la félicitant. En fait je vois pas un seul homme. Quelques gosses… hmmm, des petits-enfants. Franchement intolérable. C'est pas comme si elle pouvait abattre un arbre plus vite, ou changer un pneu plus vite, ou remonter une vieille Chevrolet plus vite, ou boire de la bière plus vite. Ça reste la province inviolable des hommes… des vrais hommes. Et, bien sûr, des tueurs de nègres. Big Jim ne la connaît peut-être même pas. Juste quelqu'un qu'on salue en passant dans la rue. Il semblerait que les femmes ne se soient jamais mêlées de lynchage et autres formes de meurtre. Peut-être un peu d'agitation… de provocation. Le pouvoir en coulisse. Non, elles n'ont besoin de personne pour les entraîner là-dedans. Sûr que Big Jim avait pas envie que les médecins noirs enquêtent à leur guise jusqu'à ce qu'une femme menace sa virilité et l'oblige à agir pour conserver son amour-propre. Le fait est qu'il est à peine fait mention de Jimbo et d'une femme. Des amis disent de lui que c'est un « fêtard » alors je suppose qu'il tire son coup de temps en temps, mais jamais de petite amie, pas même au collège. Le cathéchisme ? Peut-être l'agneau dans la crèche. Attention Jimbo, t'as pas envie que ta chèvre préférée soit jalouse. Ces gosses m'ont l'air bien fiers de leur Grand-Mère. Oh et puis, pourquoi pas ? Elle a gagné quelque chose. Je suppose qu'elle aime autant ses petits-enfants que n'importe quelle grand-mère. On raconte que Hitler adorait son chien. Je suis sûr que tous ces gens qui ont passé leurs journées de travail à participer d'une façon ou d'une autre à la mort de ces millions de personnes aimaient leurs enfants. Ahhh, c'est des conneries. Laissons les philosophes se préoccuper de tout ça. Le mal c'est le mal, point final. C'est pas parce qu'un homme aime ses enfants qu'il devrait avoir le droit de tuer n'importe qui. Vient alors le moment où nous devons dire non à la tyrannie de l'ignorance et faire tout ce qui est nécessaire pour précipiter sa chute. Jefferson et les autres Pères Fondateurs ne le savaient que trop. Oh bon sang, je suis fatigué. Mes yeux ressemblent à deux trous faits par la pisse dans une congère. Assez avec cette masturbation mentale. La foire du comté, parfait. Pense qu'elles ont lieu d'habitude en septembre, vérifier ça demain. J'ai la tête qui tourne. Au lit, au lit… au lit et dormir, dormir et qui sait? rêver. Oui, c'est là la difficulté, car dans ce rêve de la mort de Big Jim quelle paix viendra? Une sacrée dose, je dirais. Ouais, tu l'as dit pauv'ramasseur de coton. Bonne nuit Madame Calebasse, où que vous soyez.

Plus il poursuit sa proie plus il devient jovial et joueur. Il semblerait qu'il s'agisse de bien plus que d'un clignement d'œil.

… ai vraiment pas le choix, elles étaient tout aussi désireuses que les hommes de laisser Big Jim en liberté, et ont participé à la commémoration chaque année. Merde, non seulement participé mais contribué, et avec empressement. « … c'est exact, Les et moi on a fait des tartes et des beignets… Jim adore les beignets au maïs… ah des fois je me dis qu'il pense à ces beignets au maïs toute l'année, on en donne pas aux autres époques… » Bon sang, on croit les entendre glousser et se marrer rien qu'en lisant ça. On voit vraiment qu'elles sont fières de ce qu'elles ont fait et de ce qu'elles font. Non seulement elles s'excusent pas et remettent pas en question leurs actes, mais elles sont super fières. Non, je dois pas me laisser avoir par cette histoire de « traitement de faveur » des femmes. Ils sont tous coupables à égalité. Faut que je fasse fi de ces scrupules envers les femmes. Elles ont exigé l'égalité des salaires à travail égal depuis des années et il ne fait pas un doute que je respecte leur requête... oh oui certes oui. Ça oui on les bouge assez comme ça nos gros culs, ça oui, ça oui. Beignets au maïs!!!! Oh... est-ce possible? Mourir après avoir mangé des beignets au maïs? Oh notre Père qui êtes aux cieux, aidez-moi à trouver le moyen d'éliminer Big Jim avec des beignets au mais. Je vous en prie, Seigneur, par pitié... pitié, avec du sucre dessus. Je ferai une neuvaine, dirai cent ave maria et une poignée de pater noster. Je ferai même un pèlerinage dans le Bronx. Eh-oh, on se calme. Pas laisser la fierté et la satisfaction personnelles se mettre en travers de la responsabilité. Ce qui est important c'est de débarrasser le monde de cette vermine, c'est ça la priorité. Dois pas oublier, chaque chose en son temps. On s'occupera des jurés ensuite. J'ai aucune envie de finir en prison pour ça alors restons-en à l'empoisonnement alimentaire. Agir pendant le barbecue c'est prendre un risque inutile, me ferai trop repérer, dangereux. C'est là qu'ils apportent leurs beignets au maïs. Les auront sûrement aussi à la foire de village, mais je sais pas si ça sera possible là-bas. Ça sera comme une vie entière de Noëls et d'Anniversaires, mais je peux pas prendre le risque pour satisfaire mon ego. Mais quand même... ça serait pas merveilleux? Non, non, laisse tomber. Bon sang, tel que c'est, c'est pas de la tarte. Préparer suffisamment de culture pour Big Jim, et les jurés, ça va être un sacré boulot. Impossible de savoir à l'avance l'efficacité de la culture. J'en ai déjà qui est mortelle, et j'ai largement le temps de la laisser se développer… disons dans du jus de pomme non pasteurisé. Faut que ça soit facile à préparer. Dois être prudent, très prudent. Ferais mieux de tout mettre au point comme il faut dans ma tête. La façon la plus facile de la préparer c'est dans l'omniprésent cokcola. Besoin d'en apporter une grande quantité pour être sûr. Ai le temps de trouver d'autres infos, mais aurai apparemment besoin d'une bonne dose de culture très virulente au cas où ils boivent beaucoup de bières. L'alcool risque de détruire une partie de la culture. Encore pas mal de boulot à abattre. Plein de temps, pas d'urgence. Je devrais peut-être me rendre d'abord dans d'autres foires, histoire de me familiariser. Pas une bonne idée. Pas s'habituer à une disposition et si l'autre est différente ça risque d'entraîner des confusions. Non, faut que ça reste simple. Planifier, pas projeter. Important de vivre dans l'instant et de savoir s'adapter. Mauvais de m'enfermer dans un plan. Dois rester souple. Impossible de savoir sur quoi je vais tomber. Je saurai quoi faire quand il sera temps d'agir. Pour l'instant, laisser faire. Besoin de prendre soin de moi. Inutile de s'immerger trop dans le travail au point d'oublier de manger. J'ai le temps. Deux mois avant l'ouverture de la Foire du Comté. Largement le temps pour faire tout ce qu'il y a à faire. Prêter attention aux détails. Bon, c'est le moment de t'accorder, comme à moi, un peu de repos. À demain matin.

La prière de cet homme m'émeut et me plaît. Je tends la main et le Bénis, Ma Lumière s'étend sur lui et en lui à partir de ce jour et ce pour l'éternité. Il réjouit grandement mon regard et mérite une place dans mon cœur. Que la paix soit avec toi mon fils.

On dirait que je t'avais pas allumée depuis longtemps. On dirait que ça fait des années que je n'ai pas pris de petit déjeuner avant de t'allumer. Tu croyais que j'avais quitté la ville? Eh bien, n'aie crainte ma belle. Plus que quelques jours de travail intense sur notre petit projet et on pourra se remettre au boulot, au moins pendant un moment. Je vais m'absenter quelques jours, mais je reviendrai. Je ressens une telle puissance dans mes mains, mes doigts, tant de paix dans mon cœur. Je suis rempli d'une incroyable légèreté de l'être comme si je faisais partie de l'air que je respire — assez, assez avec ces pensées fantaisistes et éthérées. Au travail. Oui, oui, absolument, nous allons commencer par la Foire. Le philtre d'amour a déjà été préparé et en ce moment même fomente son message d'amour en sachant pertinemment que je le transmettrai. Oh oui je vais te le livrer espèce de furoncle ballonné sur l'aisselle de la vie. Tu vas savoir à quel point tu es aimé. Toi et les dix autres excellents exemples de dignité humaine. Car l'amour a bel et bien installé sa tente dans le lieu excrémentiel (désolé pour ça WBY). Et maintenant le moyen de l'administrer. L'idéal c'est cokcola. Restons quand même ouvert… d'autres occasions susceptibles de se présenter. Certains aliments sont toujours envisageables: fayots, chili, grillades... En verser sur la nourriture sans se faire voir. Semblerait que vous m'ayez aidé du mieux que vous pouviez pour l'instant. Merci infiniment, m'dame. Hmmm... je crois que oui. Bizarre d'en parler au féminin. On doit sûrement avoir en tête le mot « machine ». C'est vrai qu'elles ont de belles formes. C'est pour ça qu'on dit « elles » ? Non, je crois pas. Vérifier ça un de ces quatre. Des lignes de vie. Oui, et tu en es une aussi ma belle. Une ligne qui mène partout. Et bien sûr une ligne menant au cœur des choses qui nous préoccupent. Très bien, je vais t'accorder un peu de repos et une petite pensée.

...ouais, c'est vrai, pas obligé que tout se passe en une seule journée. Ça dure une semaine. Ils vont rester quelques jours. Supposons qu'ils meurent pas ? Toujours une possibilité. Une très nette possibilité. Dois l'accepter. Étais pas sûr que ça marche avec Barnard. Je n'ai pas droit qu'à un seul essai. Peux toujours réessayer, une, deux fois. Faire tout ce qui est nécessaire. Vais pas tester la culture sur une pauvre petite créature innocente. Tuer une vermine comme Big Jim est une chose, mais un minou... ça serait une abomination. Assez avec cette absurde spéculation. Suis déjà passé par tout ça avec Barnard. Là c'est nettement plus compliqué... et dangereux. Voyons voir, qu'est-ce qu'il faut ? D'abord : une façon simple et sans risque de transporter la culture.

Ensuite : une façon simple et sans risque de l'administrer… Des flacons, des bouchons et de la cire, ça devrait faire l'affaire. Comme de la bouffe conditionnée. Bien s'y prendre, pas envie de choper le botulisme. On peut tomber malade, voire en mourir. Bon sang, faut que j'arrête avec ces âneries. Pas le moment de faire des blagues stupides. Les sceller et les emballer dans du polystyrène. C'est pas compliqué. Ça se passe à la Foire… bien réfléchir à tout… Un instant ! Assez tourné en rond. Ce qui a marché avec Barnard marchera avec n'importe qui. Fini de se torturer avec ça. Terminé. Juste préparer les cultures nécessaires. Dois pas oublier, chaque chose en son temps. Arrêter de se raser. Ne pas se couper les cheveux. Dois ressembler à tout le monde quand je serai là-bas. Bon dieu quelle horrible pensée. Mais bon… Se fondre dans la foule. En attendant, accorder un peu de repos à mon cerveau.

Bonjour.
Bonjour.
Vous comptez rester combien de temps ?
Je sais pas trop encore.
Z'êtes venu pour la Foire ?
La Foire ?
La Foire du Comté.
Oh. Pourquoi pas. On va voir. Et, euh, elle a lieu où ?
Prenez la 37 un moment, vous passez devant la station Mobil, vous tombez alors sur un carrefour.

Prenez à gauche. Plein de panneaux. Plus de trois bornes.

Merci. J'irai sûrement.

Plutôt jolie comme chambre. Peux même marcher dedans. Me dégourdir un petit peu, puis aller voir à quoi ressemble la Foire. Est-ce que je dois emporter tous les flacons ? Paraît bizarre. Une douzaine. Personne ne va les voir. Personne ne va aller fouiller dans les poches intérieures de ma veste. Dois arrêter de me sentir mal à l'aise. Ça attire toujours l'attention. Dois toujours être prêt. L'occasion idéale se présentera peut-être et si j'en ai pas assez… exact. Je les prends toutes. Les ai testées une centaine de fois, jamais fait tomber une goutte. Pas de problème. Je vais en apporter une douzaine.

Merde, très peu de voitures sur le parking… et un millier de camionnettes… Bon, c'est parti. Juste faire un tour et laisser la Providence me guider. Si la mer Rouge peut s'ouvrir je devrais être en mesure de trouver deux braves gars dans cette foule… Hmmm, ça sent bon la nourriture. C'est l'heure de manger… Crois que je vais me garer ici et faire un petit tour en mangeant un truc. Tout le monde a l'air de se connaître. Pensais pas que j'aurais ce problème. Pas le moment de commettre une erreur. Il ne s'agit pas d'un acte de terrorisme mais de châtiment. La vengeance appartient peut-être au Seigneur, mais j'ai l'intention de lui donner un petit coup de main. Je vais juste me laisser porter par la foule et… hmmm, concours de tir au pigeon demain… pas une mauvaise idée si je visitais le coin pour que je— Oups, désolé, j'espère qu'j'ai pas (mon dieu ! C'est Les) renversé quèque chose sur vous.

Oh, ah, non, pas du tout.

J'deviens maladroite avec l'âge. Bon, laissez-moi poser ce plateau et nettoyer cette robe, elle était toute propre ce matin et regardez-moi ça, si c'est pas malheureux (faut que je sorte un flacon… elle ressemble vraiment à une grand-mère). Vous voulez bien surveiller ce plateau le temps que j'aille chercher d'autres serviettes ?

Oh… mais bien sûr, ouais. (Juste s'approcher et… voilà. Simple. Fini.)

Un peu d'eau froide devrait faire l'affaire. Ça va sécher et ça ira.

Je le pense aussi—

Dis donc, qu'est-ce que tu fabriques, Les, tu flirtes avec ce jeune homme ?

T'as intérêt à la boucler Clyde et t'avise pas de rigoler.

Je peux poser ce plateau et me joindre à vous ?

Si c'est pas triste, propre et repassée quand j'ai quitté la maison et —

Hé, vous partez pas ?

Désolé, je dois aller retrouver quelqu'un. Pas envie d'être en retard.

C'est sûr, je vois ce que vous voulez dire.

Bon, Clyde, arrête de sourire et de pouffer comme un écolier et conduis-toi en adulte. Faites pas attention à lui.

Ahh, ravi d'avoir fait votre connaissance…

Oh mon dieu, faut que je marche bien droit, pas trop vite. Pas de panique. Continuer de sourire et de se diriger vers le parking. Faut que j'arrive jusqu'à la voiture. Un pas à la fois. Un pied devant l'autre. Respire, respire. Peu importe comment, mais respire. Lentement ou profondément, on s'en fiche. Panique mon cul, contente-toi de respirer et d'avancer. Chaque pas, chaque respiration te rapproche de la voiture, un peu plus. Cours pas. Bon sang, j'y arriverais pas même si je le voulais. Oh merde, où est la voiture? Je sais, je sais, D-7. Inutile de paniquer, juste avancer et respirer, avancer et respirer. La vache il tape ce soleil. Plutôt agréable sous ces tentes, mais ici… j'ai la gorge toute sèche et éraillée. Elle est où cette putain de voiture, elle devrait être là… ouais, par là, derrière la camionnette. Peux pas la voir d'ici. Oh dieu merci, la voilà. Encore quelques mètres. Bon sang on crève de chaud là-dedans. Baisser les vitres et mettre la clim'. Ouah, c'est mieux. Pas bouger, reprendre mon souffle, me calmer. Encore trop secoué pour conduire. Encore quelques minutes. J'ai la tête qui tourne. Très bien, maintenant on se détend… on respire à fond et lentement… ouais, calme. Faut que je sorte d'ici mais je peux pas conduire avant d'être détendu. À fond, lentement…

Rester attentif. Rouler lentement, mais pas trop lentement, ne pas attirer l'attention. Prends ton temps… ouais…

Oh bon sang, j'aurais jamais cru que j'apprécierais autant d'être dans ce motel de bouseux. Vite, sous la douche…

Oh, j'adore me sécher à l'air. Fait encore jour et j'ai l'impression d'être passé par une douzaine d'essoreuses. Clyde et Les. Ça m'a vraiment pris au dépourvu. Mais j'ai réussi. Je contrôlerai mieux la situation à partir de maintenant. M'attendais pas du tout à ce genre de confrontation. Ça m'a presque paralysé. Mais je me suis repris… et j'ai fait le boulot… Parie que si vous voyiez Hitler avec son chien vous penseriez quel type sympathique c'est, il aime vraiment son chien. Les auteurs de tueries se promènent pas avec un écriteau autour du cou. C'est pour ça que Hester devait porter un A. Ce truc d'excuser les femmes pour des crimes abominables simplement parce que ce sont des femmes est dément. Faut voir si les cultures marchent. Me demande comment je saurai ? Pas de problème avec Barnard. Même si j'arrive à tous les approcher comment je saurai ? Peut-être en allant voir sur le site web. Si quelqu'un apprend quelque chose ça sera là. Ouais. Des trucs plus importants auxquels penser pour le moment. Chaque chose en son temps. Clyde m'a encore plus surpris que Les. Me disais qu'il serait une espèce de bonus. Planté là devant moi. Grand sourire. Beau sourire. Avait l'air normal. Pas juger d'après les apparences. On va voir ce qui se passe ce soir. Pas grave s'ils me reconnaissent. Un bon moment le feu d'artifice. Paraît que Big Jim adore ça. On verra, on verra. Deux en moins. Se reposer.

Sentiment de jubilation. Suppose que c'est toujours comme ça le soir. L'impression de travailler quand il fait jour, même à la Foire, mais le soir c'est rien que du plaisir. Le feu d'artifice y est pour quelque chose, c'est sûr, surtout avec des gosses tout excités. Ouais, et pas que les gamins, tout le monde adore ça, mais c'est sûr que c'est plus fort pour les gamins. Je les adorais moi aussi. Le clou de l'été. Tous les mardi soir… en juillet et août, je crois. Devais être sur les épaules de papa quand j'étais petit… hmmm, intéressant, me demande si c'est un fantasme ou la réalité ? Dingue ce qu'on se rappelle et ce qu'on imagine. Plus froid le soir aussi. Ça aide. Une once de brise aussi. Regrette d'avoir la barbe, tellement agréable de tendre le visage dans la brise et de la sentir sur le visage. Me raserai bientôt, heureusement. Me demande si je vais tomber sur l'un d'eux ? Des chances pour qu'ils me reconnaissent pas. Ça sent hyper bon le soir. Peut-être que l'air est plus lourd et que les arômes se dissipent pas. Je crois que tout est plus agréable le soir, même le boulot. Et j'ai un boulot à faire. Souvenirs anciens quand on pouvait se cacher dans les ombres. Encore quelques-unes, mais ça prendrait du temps de les trouver. Des projecteurs partout. Des tas de gamins qui tirent des bras de femmes. Me demande si les femmes ont un bras plus long que l'autre une fois que leurs gosses ont grandi ? Possible. Pense pas que quelqu'un ait déjà étudié la question. Autant se laisser porter par la foule. Ils ont l'air de savoir ce qu'ils font. Big Jim doit être par ici. Un sacré paquet de gens. Marcher lentement… rester concentré. Tout le monde a un verre à la main, ou une bouteille, une Thermos. Me demande si c'est comme ça dans toutes les foires ? Bon, s'agirait d'arrêter ces vaines spéculations. Devrait être facile à repérer. Son nom lui va bien. Ohh, ils ont une petite tribune. Sympa pour les gosses. Mais c'est le genre à rester debout. Brave type. Cède gaiement son siège à un jeunot. Pensais le voir assez vite, mais le— Clyde, est-ce qu'il m'a vu ? L'impression qu'il me dévisageait. Ferais mieux de me diriger tranquillement par là, de contourner le stand de chili, d'aller derrière le mât… juste au cas où. Dois pas le perdre de vue – parfait il regarde pas par là. Va sûrement traîner avec Jimbo. Vois pas Les, ni aucun des autres. Me demande comment elle se sent ? Me demande comment il se sent ? M'a l'air d'aller bien. L'estomac un peu vaseux ? Il sentirait déjà les effets ? Hmmm, pas sûr. Différents effets sur différentes personnes. Toujours pas de Les. Important ? Où sont tous les autres ? À tous les coups avec leurs familles. Tout le monde gravite ici. Pas de caméra télé – c'est pas lui ? Il est grand, ça oui… et

Clyde est en train de lui causer — est-ce qu'ils me regardent ? Non, non ! bon sang, ne t'éloigne pas. Continue de marcher tranquillement. Les perds pas de vue. Non, ils regardent juste autour d'eux... cherchent sans doute quelqu'un... continuer de marcher... de se déplacer dans la foule... s'il faisait vingt centimètres de moins je risquerais de le perdre... semble avoir une destination précise en tête... ouais, de ce côté... bien ce que je pensais, loin des jeunots... oh oui, t'es une crème Big Jim... qu'est-ce que... en voilà deux autres... ouais, ouais, je suis sûr, leur nom, leur nom, leur nom... pas de Les, mais quatre âmes non corrompues – whoa... faut que je ralentisse... des palpitations, bon sang, respire lentement, inspirer expirer, inspirer expirer... dois pas merder maintenant... expirer inspirer, expirer inspirer... sais exactement quoi faire... en verser vite fait dans leurs cokcola... me laisser porter dans leur direction... pas grave si Clyde me reconnaît... il s'est rien passé... dois pas avoir l'air mal à l'aise... attendre le début du feu d'artifice... continuer de regarder le ciel... garder les yeux levés... bien me rappeler, l'air innocent, innocent... juste regarder le feu d'artifice... laisser la foule avancer un peu... ouais. Mince alors, elle était superbe celle-là, un poisson qui frétille dans le ciel, et voilà c'est dans le verre de Jimbo, surtout qu'il le renverse pas, s'il te plaît mon dieu, faites qu'il le renverse pa— c'est ça bois-le en entier, tout, ouais bois tout comme un gentil garçon et tu— du calme, du calme, reste vigilant, encore trois autres, est-ce que Clyde me regarde bizarrement ? Continue juste de — c'est ça Jimbo, bois d'un trait — Oh si c'est pas beau ça, en verser encore un peu… eh merde, failli en verser sur sa main, faut que je fasse gaffe, que je reste vigilant, bordel te fais pas choper en plein feu d'artifice, garde la tête levée, mais surveille leurs verres, leurs verres, c'est dans leurs verres, c'est vert dans leur putain de merde sois pas hystérique, expirer inspirer, expirer inspirer, tout doux, expirer inspirer… bouge un peu… un autre de fait… bon sang, arrête pas de transpirer, ai l'impression que mes mains dégoulinent, oh bon sang, la sueur me coule dans les yeux, y vois à peine, suppose que j'ai un peu de culture sur les mains surtout pas me frotter les yeux, ô mon dieu aide-moi à en finir avec ce dernier… juste ce dernier mon dieu j'ai l'impression de tenir un cochon rôti, cette saleté de sueur me brûle les yeux putain, mais qu'est-ce qui se passe merde, oh, pour l'amour du ciel arrête de trembler, inspirer expirer, inspirer expirer, lentement, lentement, respirer inspirer… c'est bon, encore un dans le ciel qui éclate… oh merde, je sue tellement que je sais pas si j'en ai mis sur mes mains… non, non, c'est dans le verre… ouais… faut que je me casse maintenant ! Allez ! Laisse-toi porter par là… mélange-toi… fonds-toi… perds-toi dans la foule… faut que je reprenne mon souffle… la tête qui tourne… le cœur qui cogne dans ma tête… je vais peut-être devenir aveugle… me sens tout chose, merde ! Qu'est-ce qui se passe bordel, faut que je bouge, pas envie d'attirer l'attention, eh merde, trop le tournis pour bouger, ça continue de cogner dans ma tête et ma poitrine, ralentis espèce de connard, eh merde, ra-len-tis, ra-len-tis... bon, faut que je bouge, que je me dirige vers le parking, vas-y mollo surtout... un pied devant l'autre, un pas à la fois... tout en douceur... y arriver avant la débandade, le feu d'artifice est presque fini, oh bon sang, pas envie de me retrouver pris dans le manège des voitures... des camionnettes. Très bien, j'y suis presque... encore quelques personnes dans le coin, bien, j'attirerai pas l'attention — pas important, j'ai rien fait, pas de crime, pas de tuerie ou de bombes, personne a rien vu, comme avec Barnard, aucune raison de fuir, juste continuer à mettre un pied devant l'autre, merde, même Clyde sait pas ce qui s'est passé. Saura jamais. Aucun d'eux ne saura. Juste quelques braves types (et nanas) qui ont bouffé des grillades pas saines et merde alors ils en ont crevé, direct. Ouais, agréable d'entendre les gens et les portières qui se claquent, bientôt... ouais, ça y est. Toujours étonné. Je crois que je cherchais ma voiture, pas une de location. Oh, c'est bon de s'asseoir. Mes jambes tremblent bordel. Très bien, très bien. S'agit de se casser maintenant et de rentrer au motel. Merde, le parking commence à se remplir de gens. Se barrer d'ici. Tout en douceur. Pas trop lentement, mais prudemment. Bien, bien, ça avance... eh merde, j'ai jamais été aussi heureux de quitter un parking de ma vie. Me concentrer sur la conduite. Faire gaffe aux animaux qui traversent la route. Pas envie d'écraser un raton laveur ou une biche, ou ce qui traîne par ici. Non, non, mauvaise idée la radio, pas cette musique de merde. Continuer de respirer et d'ouvrir l'œil et retourner au motel au plus vite et après je peux m'ouvrir un bon cokcola bien frais.

Mieux vaut me laver les mains d'abord… on n'est jamais assez prudent… C'est donc ça la boisson qui a lancé un millier de Big Jim dans le monde. À la tienne Jimbo, mon vieux poto… oh la la. Il enfonce son pouce et ouvre un cokcola. Quelle soirée. Mémorable. Oh quel gredin je suis. En fait, je me sens plus ragondin que gredin. Toujours plus avant dans la brèche, ô âmes courageuses et sans peur. Et si j'allumais la télé pour voir ce qui passe ?

C'est quoi ces conneries ? Sur toutes les chaînes ça fait que parler, parler, parler du diable et des démocrates libéraux, hein ???? Ils cherchent encore des communistes ? Je crois pas à cette connerie. Dites amen et merci jésus… ils ont quoi ces types ? Ce monde n'est qu'un vaste camping. Ils détestent tout le monde. Quand ils pendent pas des « gays » ils pendent des « féministes », oh dieu merci y a un bouton pour éteindre. Merde, j'ai des palpitations. Où est-ce que je suis ? Il peut pas s'agir du même pays dans lequel j'ai passé toute ma vie. Ça dépasse tout ce que j'ai pu imaginer. Mon corps résonne de coups. Vertige. La vache, j'ai mal à la tête. Est-ce que j'ai mangé???? Arrive pas à me rappeler, putain, oh ces fumiers incultes. Dieu leur dit que c'est super chouette de «les» tuer, de «les» massacrer, les impies, oh merde, ma putain de tête me tue. Devrais me reposer, grosse journée demain. Encore huit à zigouiller. Des tas d'armes, d'armes, d'armes. Doivent s'entraîner. Peuvent pas exploser la putain de tête d'un pédé ou d'une féministe ou d'un négro, ou d'un catholique ou d'un bouddhiste ou de je ne sais qui, d'un juif ou d'un musulman ou de tous les susdits. Si vous vous en servez pas vous êtes condamnés à l'enfer. Faut que je verse cette merde. Peux pas laisser leur haine m'empoisonner. Dois me préparer pour demain. Et si j'attendais qu'il fasse nuit? Ouais, c'est plus facile par certains côtés. Mais c'est plus facile de reconnaître les gens en plein jour. Surtout des gens que je connais pas. Merde, pas envie d'attendre la nuit. Je sais pas, je sais pas... Y a quelque chose qui va pas. Comme une envie pressante de partir. De rentrer. C'est quoi encore cette histoire? Pourquoi j'ai envie de fuir? Faut que je m'occupe des autres. C'est pour ça que je suis ici. Vais pas m'éclipser dans la nuit comme un putain de bouseux. C'est hors de question. Peux pas me barrer en en laissant encore 8 en vie. J'ai toute cette culture. Il n'y a aucune crainte à avoir. Même si Clyde me recon— ça n'a peut-être rien à voir avec ça? Imaginons que ça puisse arriver.

Chaque fois que j'écoute pas mon courage je le regrette. Je l'écoute et tout va bien. Ridicule. Je suis juste excité. C'est pas pareil. Excité par la tension. Juste une montée d'adrénaline. Mélangée à tout ce fatras fondamentaliste. Ça rend dingue. Peux pas m'arrêter maintenant. Eh merde. Merde ! Folie ! Folie absolue !!!! Aller faire un tour. Courir le long de la route. N'importe quoi. M'en fous de ce que pensent les gens. Marcher, que ça passe…

Ça faisait longtemps que j'avais pas marché le long d'une route. Un gosse qui fait du camping. Marcher à contresens de la circulation et rester à gauche. Porter un truc blanc. Aujourd'hui on peut briller dans le noir. Me concentrer sur ce que je fais. Surveiller les voitures et les éviter. Simple. Peut-être que quelqu'un va s'arrêter et proposer de me prendre. Aura peut-être envie de faire demi-tour et de m'emmener là où je dois aller. La bonne vieille hospitalité. Ben voilà, j'ai une appendicite et mon tracteur m'est passé sur les jambes, mais l'hôpital n'est plus qu'à quinze bornes d'ici, inutile de vous embêter avec ça l'ami. Bon, si vous êtes sûr. Et une chique, ça vous dirait, un peu de tabac ça soulage la douleur. Ma foi, merci beaucoup. Si ça vous dérange pas. Ouais, j'en ai bien besoin, chiquer du tabac ou priser. Bon sang, ils doivent avoir l'habitude de voir des gens marcher le long de la route, ça les empêche pas de rouler à plus de cent vingt faut voir comment leur rétroviseur de gauche vous frôle le crâne. Une autre façon de passer le temps pour ces bouseux.

C'est pour ça que jésus a mis des étrangers et autres créatures sur la route, pour qu'on s'amuse. Oh ne me— non. Faut que je me calme, pas la peine d'en rajouter. Continue de marcher, c'est tout, et de respirer profondément…

Bien faire gaffe à pas allumer cette télé à la con. Nettement plus détendu. Mais j'ai encore cette même sensation dans le ventre. Plus calme, mais toujours la même. La Providence, la Providence… Mais pourquoi est-ce qu'il faudrait que je parte, c'est— Pas la question. Dois partir. Aucun doute. Le message est simple et direct. D'accord, c'est réglé. M'assurer que je laisse rien ici. Toutes les cultures sont soigneusement emballées, quel dommage que je puisse pas m'en servir maintenant. D'accord, on fait les valises, on règle la note, et c'est parti. Mince, je me sens tellement plus léger. Bon… mon corps est détendu et heureux. Dément cette histoire. Impossible à prévoir. Assez. On rentre à la maison, allez, zou.

Me demande ce qu'a voulu dire le type de la réception : Vous partez pas un peu vite ? Pourquoi il m'a demandé ça ? Me demande ce qu'il disait vraiment… ce qu'il pensait ? Il m'avait à l'œil ou quoi ? Merde, c'est pas une voiture de shérif derrière moi… non… apparemment pas. Je devrais peut-être commencer à balancer les cultures par la vitre ? Pas de cultures pas de lien avec quoi que ce soit. Ah non, peux pas faire ça. Qui sait ce qui arrivera ? Un crétin de chien ou de chat ou ce qu'ils ont dans le coin. Oh, ça peut pas vraiment être un problème. Faut que je m'en débarrasse de toute façon. Me servent plus à rien. Idiot de les garder — ah, je sais pas. Peut jamais savoir quand ils seront utiles. Plein de gens dont il faut s'occuper. Mais supposons qu'ils— bon sang, détens-toi. Va rendre la voiture, prends ton avion, dans moins de deux heures tu seras dans les airs, rentré en un rien de temps. Mais peut-être que j'aurais pas dû partir ? Risque de paraître louche. Et pourquoi ça, hein ? Personne s'est fait descendre ou étrangler ou je ne sais quoi. Aurais sans doute dû rester pour m'occuper des autres. S'obliger à partir n'a pas de sens. Pourrais toujours passer la nuit ailleurs et revenir demain. Tous ces sales fumiers qui s'en sortent. Oh bon dieu, c'est de la folie, de la folie absolue. Le regrette toujours quand je vais à l'encontre de cet instinct. La Providence n'induit jamais en erreur. Allez, baissons la vitre et laissons entrer un peu d'air frais de la nuit, peut-être que ça mettra fin à ce blabla stupide, incessant. Rendre la voiture, régler la note à la réception, prendre peut-être un café et un croissant, embarquer dans l'avion… tranquillement. Assez jacassé…

Ahhh, comme il est doux d'être chez soi. Hmm, me demande d'où vient ce proverbe. Chez soi, c'est ça, je m'assois. Voiler les voilures, fourrer les fourrières, hisser le pavillon, mâter le matin, se bourrer la gueule et direction la prisooooonnnnn. Je t'ai manqué, chère maison ? Je t'ai manqué, chère cuisine ? Et toi, fauteuil ? Je t'ai manqué ma chérie ? A pas été allumé depuis deux jours, pas vrai ? Oops, je devrais surveiller mon langage. Tu t'allumes pas, pas vrai ? Non, non, non N'aie crainte, demain nous allons travailler. Pas la peine de s'y coller maintenant... trop fatigué. Lessivé, en fait. Ereintationné. Le soleil va pas tarder à se lever. Ta gueule le réveil. Juste se réveiller avec la folie d'une nouvelle journée. Oh, vous m'avez tous manqué. Demain nous verrons... nous verrons... quoi ? Qui sait ? Nous verrons ce que nous verrons... et vogue la galère ô gué ô gué. Putain je suis rincé. Bonne nuit Madame Calebasse... où que vous soyez.

L'homme rentre, mais est-ce qu'il rentre victorieux ? Sera-t-il en mesure de connaître les fruits de ses efforts ? Ses actes sembleraient indiquer qu'il en sera ainsi. Chaque chose en son temps.

... bon, ça ne veut rien dire. Moins de 24 heures. Ouais, allez savoir s'ils en parleront aux infos ? Possible. Mais ça sera pas tout de suite. Retourner de temps en temps sur ce site, mais pas la peine de rester collé devant. Louer un film, laisser passer la journée, faire un peu de travail. C'est entre les mains de la Providence.

Oh, comme sa foi m'est agréable. Continue mon fils.

Le temps, le temps, le temps... Traîner, filer, voler, pas bouger, quoi que vous fassiez le temps reste le même. 24 heures par jour. Me rappelle encore, y a pas si longtemps, quand le temps était immobile. Refusait d'avancer. Les minutes étaient des heures, les jours interminables. C'est nettement mieux. Le temps se traîne, mais c'est nettement mieux. Sur le qui-vive. Dois être aux aguets. Faut pas que je craque comme l'autre fois. Aucune raison. Il y a toujours un truc à faire. Ouais, c'est comme ça que je vais m'occuper. Envisageais d'avoir un chien et de jouer avec lui dans le jardin. Ou d'aller dans un parc pour jouer au Frisbee. Voilà quelque chose d'excitant. Je peux me lancer maintenant dans le nouveau projet, ou du moins l'étudier. En ce moment, tout le monde a besoin d'avoir quelque chose « à l'étude », alors pourquoi pas notre sympathique petit E.coli, hein ? Ouais... c'est l'erreur que j'ai commise la dernière fois, de croire que Barnard était le seul, l'alpha et l'oméga de mon œuvre. Ho ho, c'est merveilleux. Merde, simple et évident. Comment se fait-il que je n'aie pas pigé avant ? Étroitesse de vue. Voilà pourquoi, étroitesse de vue. Oh mais bien sûr, c'est ça... Je me suis trop impliqué sur le plan affectif. J'en ai fait quelque chose de personnel. Comment j'ai pu ne pas voir ça ? Tellement évident. Le chirurgien n'opère pas ses propres enfants. Pas d'objectivité. Oh, dis donc, c'est vraiment génial. Bon sang, me rendais pas compte à quel point j'étais tendu... inquiet. Pas besoin de passer ma vie à guetter des nouvelles de Jimbo. Juste vaquer à mes affaires, passer un peu de temps à voir ce qui se passe dans le monde, prendre— eh... t'excite pas, l'ami. Tu t'emballes et tu vas encore péter un câble. D'accord... inspirer... expirer... inspirer... expirer... tout en douceur... tranquille. Laisse-toi aller, c'est tout. Ouais...

Merveille sur merveille. L'homme est non seulement irréprochable, il est vertueux. Sa noblesse illumine le ciel nocturne. Oh mon fils, mon fils, quel joie tu éveilles en moi et, partant, dans le monde.

... putain c'est quoi ça? On dirait qu'il s'est passé quelque chose ces deux derniers jours mais j'arrive pas à mettre le doigt dessus. C'est comme une brève lueur de temps en temps quand je consulte les infos, mais ça disparaît. Bon, je trouverai jamais ce que c'est en y pensant. Si la Providence veut que je sache quelque chose elle va devoir se montrer un peu plus claire. Oh et puis, la seule chose à faire c'est de l'ignorer. Ne pas y penser et ne pas la chercher. La seule chose qui marche... quelle heure il est? Hmmm, pensais pas qu'il était si tard. Je vais peut-être au café me payer un petit dîner. Une poitrine de bœuf ça me dirait bien. Me dégourdir les jambes. Ai pas fait beaucoup d'exercice ces derniers temps. Trop immergé dans le travail. Bon, c'est le moment de se remettre en forme. Un petit kilomètre à pied. Hé, oublie pas le kilomètre du retour. C'est pas du gâteau. Marcher jusqu'au café me suffit en général, après ça je serai un vrai Schwartzenberger. J'y ai pas trop pensé mais j'ai de plus en plus faim. D'accord, comme ils disent à Bellevue, c'est parti. À plus tard ma chérie.

Oh, voici la serveuse rousse. Elle est vraiment adorable, surtout quand elle se penche au-dessus de la table. Ça c'est le genre de distraction que j'apprécie vraiment. Hmmm, y a du colin en plat du jour. Du poisson, Bonne idée. Bon pour le cerveau. Dommage que Big Jim ne mangeait pas de poisson. Me rappelle pas si on trouve du E.coli dans le poisson. Oh, ça se discute. Me demande si je vais devoir retourner là-bas ? Ça dépend, je crois. Aimerais savoir ce qui se serait passé si j'étais resté. Je—

Prêt à commander ?

Comment est le colin ?

Excellent. Je viens d'en prendre. Tendre et cotonneux.

Appétissant. Une salade. Avec de la mayo et des cornichons.

C'est parti.

Marrant, cotonneux est tantôt négatif, tantôt positif. Jimbo était cotonneux et idem pour son poisson-chat. Est-ce que j'étais cotonneux en partant ? Peux pas savoir. Aurais pu en zigouiller quelques autres… peut-être tous. Le message était trop fort. Faudrait être complètement stupide pour aller contre ça. Sais jamais pourquoi. Pas besoin, d'ailleurs. Sais que c'est toujours juste. Je suis là, maintenant, pas de problème. C'est bien. Qui sait ce qui va se passer. Le —

Et voilà, colin et salade, sauce mayo cornichons. Bon appétit.

Merci… Oh, mais ça m'a l'air tout à fait délicieux. Quelle jolie foulée… ouais, de « la gelée sur ressorts ». Cotonneux ne lui va certainement pas. Hmmm, le poisson est cotonneux et excellent. Réjouis mon palais et ma vue. Voilà un repas qui est parfait.

Bon, voyons un peu ce qui se passe… qui tue qui, pourquoi sonne le glas… non, c'est plutôt pour qui sonne le glas, non ? Enfin, toujours bon de savoir qu'ils s'entretuent toujours partout dans le monde sans raison valable. On dirait que la plupart essaient de prouver que leur dieu est plus grand et meilleur que les autres. Débile… franchement débile. Comme des gosses dans une cour de récréation : mon frère peut filer une raclée à ton frère ! Ah oui, eh bien mon père peut filer une raclée à ton père. Je crois que personne grandit vraiment. Le monde est une vaste cour de récréation et tout le monde la ramène. Tuer pour l'amour de tuer… tuer pour l'amour de Kali… Me demande ce qu'ils font maintenant qu'ils peuvent plus tuer de rouges bon sang ? Ai vraiment de la peine pour ces pauvres chrétiens. Bien sûr ils peuvent encore tuer des pédés et des féministes bon sang. Ouais… mais c'est pas très à la mode, et certainement pas politiquement correct. Crois que l'important pour eux c'est qu'ils aient quelqu'un à haïr et à tuer. C'était tellement plus facile quand ils pouvaient tout mettre sur le dos des communistes. Répartir ça entre plein de gens, c'est nettement plus compliqué. Ahhh, fini le bon vieux temps. Crois qu'ils vont lancer leurs attaques sur l'Islam. C'est déjà plus à la mo— Oh non… non. J'y crois pas. Nom d'un hareng chauve sacré. Attends deux secondes, commence pas à sauter sur place… mais il est dit clairement… pas « on a signalé », mais une affirmation très simple et précise. Du calme mon gars, c'est peut-être une erreur — Eh mon dieu, pourvu que ça soit pas une erreur, faites que ça soit vrai, totalement et absolument vrai… je vous en supplie. Je réciterai des tas d'ave maria et de paster noster. Je me frapperai la poitrine, mea culpa et tout le tralala, je rejoindrai les Juifs pour Jésus, je ferai une neuvaine… y a pas de mal à danser la gigue, non ? Oh dieu est bon, dieu est vraiment bon… oui, les dieux font la paire. « Oh je suis content que tu sois mort espèce de vaurien »… D'accord, reprenons depuis le début QUATRE CAS D'E.COLI DANS UNE FOIRE. Youpi hourrah et patati patata. Quatre cas. C'est pas beau ça ? Ouais… Quatre Cas. Personne ne voulait m'écouter… Le bœuf c'est pas sain. Faut pas en manger. Combien de fois je vous l'ai répété, hein ? Allons, allons, je vous l'ai dit des tonnes de fois de morue que vous ne devriez pas bouffer ces côtes. Je vous l'ai pas dit ? Ne niez pas. Juste avant que vous montiez dans votre camionnette, je vous ai dit de ne plus manger ces côtes. Non mais regardez ce qui s'est passé quand Adam en a refilé une. Mais vous n'avez rien écouté, n'est-ce pas ? Non, vous avez voulu n'en faire qu'à votre tête, comme d'habitude, je supplie, j'implore, je prie mais vous continuez de faire ce qui vous plaît. Eh bien, vous voyez où ça vous a menés ? Je suppose que vous voyez plus grand-chose à présent. Vous connaissez l'expression « mordre la poussière » ? Faudra être patient. Pense qu'il va s'écouler un petit moment avant qu'il vous mette sous terre. Mais ça ne saurait tarder. Non m'sieur, ça ne saurait tarder. Quatre... Quatre Cas. Oh, ces buvettes vont le sentir passer. Ils vont inspecter les boucheries et les entrepôts. Ouais, ils vont envoyer de bons vieux agents du gouvernement pour leur examiner le fondement. Bien. Allez, sondez-moi ces trous du cul de merde. Des innocents qui souffrent ? Vous voulez rire ? Ces gens laissent crever de faim des millions... des millions pour leur saleté de bœuf. Quatre-vingts (80) personnes peuvent vivre avec ce qu'il faut pour produire juste une (1) livre de bœuf. Plus ils ferment mieux c'est — Ouais, des avantages en nature auxquels j'avais pas pensé. Un petit extra. Pas aussi important que l'objectif principal, mais quand même un noble ajout. Oh, j'arrive pas à y croire. TOUS LES QUATRE !!!! Direct, putain !!!! Pas un pli. Et pas une seule mention des meurtres, du procès et du barbecue et de toutes ces tristes conneries. Ont pas encore fait le rapport. Me demande ce qui va se passer quand ils pigeront ? Faudrait qu'il y ait des tonnes de soupçons. Mais les autopsies indiqueront l'empoisonnement alimentaire... point final. Juste une coïncidence bizarre. J'ai bien fait de filer finalement. Huit de plus c'était pas de la tarte. Mon dieu, ils auraient vraiment piqué une crise. Déjà qu'ils vont se gratter les méninges et le trou du cul, mais 8 de plus ??? La vache, ç'aurait été de la folie absolue. Me demande si ça aurait pu me causer des ennuis ? Qui sait, mais vais pas m'inquiéter à ce sujet. Oh je me sens bien. On dirait que c'est encore mieux que Barnard. Mais y a vraiment de quoi se réjouir. Oh la vache... Merci jésus... Vaudrait mieux que je me calme. Je vais me péter un vaisseau sanguin ou je sais pas quoi. Pense pas que j'aie jamais été aussi excité. Putain de merde. Tous les quatre. Me demande si je devrais poster un truc sur le site de Big Jim ? Peut-être une remarque cryptée à propos de l'incident... rien dire de précis, mais en suggérer un paquet ???? Ça en épaterait plus d'un. Oh ça serait drôle. Pourrais même foutre la pétoche aux 8 autres. Une chaîne d'info tomberait à tous les coups dessus. Pas mal. Le ferai pas depuis ma bécane. Une bibliothèque... un cyber-café, ce genre. Oh ça serait marrant. Je sens la puissance se déchaîner en moi. Mais pas ce soir. Laisser le temps à tout ça de se poser et de décanter. Pourrais envoyer des paquets mystérieux, anonymes aux 8 autres… ou peut-être juste à un ou deux… au hasard. Une fois les liens établis, ils auront peur d'ouvrir tout ce qui vient pas de Sears ou de Monkey Ward. Pourrais leur envoyer une boîte de bonbons. Ou un sandwich au jambon. Une caisse entière de sandwichs au jambon. Oh bon sang, j'imagine le truc… les flics et les techniciens dans tous leurs états à cause de ces sandwichs… Hé, chef, je crois que j'ai trouvé quelque chose dans celui-ci, ça m'a vraiment l'air louche.

Ouais, ça s'appelle de la moutarde ducon.

Oh, il existe un million de variations. Mais rien ce soir. Ce soir tout va très bien. Juste… juste quoi ? Peux pas rester en place. Mieux vaut se promener pour que ça passe… le plus possible en tout cas. Peux toujours regarder une connerie à la télé. Ça devrait m'aider à dormir. Belle soirée pour marcher, pas trop chaud. Bonne idée. Mais juste marcher, pas gambader et bondir en faisant claquer mes talons. Je vais aller faire un petit tour. Remise en forme, rien de tel.

En vérité je vous le dis, je ne trouve aucun défaut en cet homme. Je me réjouis grandement. Marche, mon fils, marche et sens la brise revigorante sur ton visage. Quoi qu'il t'arrive tu ne seras jamais seul. Regarde… regarde à présent les étoiles dans le ciel, ne te semblent-elles pas plus brillantes, ne serait-ce qu'un peu ? Les bénédictions de la nuit t'accompagnent, mon fils. En vérité je vous le dis tu réussiras dans toutes les actions que tu commettras en mon nom.

Une autre journée, une autre journée. Certes oui. Et qu'as-tu en boutique pour moi, « journée » ? Comptes-tu me le dire maintenant ou me le distiller lentement à chaque inspiration. Me sens un peu comme Cyrano, mais je peux me passer des géants. Ah, la blonde qui m'a servi ce matin... bon ça n'a rien à voir du tout. Oh elle est adorable. Des mouvements si harmonieux... mais pas comme un métronome... pas du tout. Vraiment fluide, comme on dit. Une chanson et une danse à la Fred Astaire ou Gene Kelly. Peut-être un petit « J'ai le monde à mes pieds »... ouais, c'est bien ce que je ressens, mais qui a besoin du monde entier ? Pour l'instant une seule belle blonde suffira. Devrais vraiment vérifier ce truc. Oh et puis, on verra plus tard. C'est l'heure d'aller consulter cette page web. Peux plus attendre. La tentation est trop forte. Un tap un clic un clic un tap et......... voiciiiiiiiiii Jimbo !!! Tchac-boum. Bon, on va direct à la fin et... ouais c'est là. Certaines personnes ont déjà fait le lien. Incroyable, ils doivent passer des heures chaque jour à rechercher des liens et à poster des informations. Mais là c'est assez évident. Enfin bref, dieu bénisse ces gens. Faut voir un peu les spéculations... complot, complot... l'ire divine, elle est bonne celle-là... Bordel à queue ! LA VENGEANCE DES NÈGRES. C'est vraiment grave... Ont sûrement l'embarras du choix côté responsables : NAACP, Jackson, Farrakhan, SLC, SNCCC, oh la vache, la liste est infinie. Vous savez, c'est exactement comme avec l'assassinat de Kennedy : Personne ne peut croire qu'un obscure petit marginal comme Oswald a pu causer un événement aussi important. Sauf que dans le cas présent l'événement n'est pas important, pas dans le sens de Kennedy, et c'est quelque chose qu'il fallait vraiment faire. Mais il n'y a que moi alors ça ne peut pas être un complot. Me demande si je devrais le suggérer sur ce site ? Non, pas la peine. Pas tenter le destin. Pas d'info qu'on puisse télécharger ou même imprimer. Juste un petit survol de temps en temps, et jamais trop longtemps. Le temps suffisant pour que mon petit cœur fasse boum. Oh, c'est vraiment super. Ça commence vraiment à prendre tournure… il est vraiment mort. Big Jim Kinsey est mort et idem pour ce brave Clyde. Putain ! Raide mort, définitivement. Allez, allez, alléluia, ils ont tiré leur révérence mais ils savent pas encore qui ils vont devoir saluer. Ouais, elle est bonne celle-là. C'est quoi votre nouvelle adresse ? Les lettres brûlent et les e-mails fondent. Aha ha, marrant… ouais : ça me plaît : Vous avez fait quoi de vos draps ? Hé, peut-être qu'ils les envelopperont dedans ? D'ici quelques siècles ça ressemblera peut-être à un nouveau suaire de Turin. Ça embrouillera carrément la postérité. Et puis merde, aucune raison qu'ils soient pas aussi troublés que nous… E égale peut-être MC^2 ? mais l'ignorance est une vraie bénédiction. Dites donc, il faut que j'arrête de passer tout mon temps sur cette page web. On a le droit de se marrer, mais c'est pas le boulot qui manque, des tas de choses à accomplir. Allons bon, j'ai pas envie de fermer, non... allez, ciao Jimbo. Ouais, comme sa mort. Un clic de la souris et fini Big Jim. Retour aux infos. Bon sang, aimerais bien savoir ce qui me turlupine. Quelque chose, quelque chose, quelque chose... sous mon nez et je le vois pas... pas encore. Merde ! On se calme. Le verrai jamais dans cet état et ça va me rendre dingue. Entendu, travaillons quelques heures, dînons, et on verra ce qui se passe...

Peut-être une petite balade autour du pâté de maisons, tranquillement, en allant au café oui ça serait une bonne idée. Bien bossé. Toujours le cas quand j'y pense pas. Ouais, ben voyons, mais comment on fait pour pas penser à un singe blanc ? Faut juste que je m'absorbe dans autre chose et ça viendra. Ouais, à ce propos j'espère que la rouquine bosse ce soir. Hé, pas mal, ça : rouge, blanc et bleu. Une blonde le matin, une rousse le soir, et voilà que j'ai le blues... Peut-être la distraction dont j'ai besoin. Une à la fois ça vaut mieux. Rester concentré, y a que ça de vrai. Ça les fait revenir. Mais pas trop souvent, pas devenir gourmand. Juste faire ce que je peux pour que les couleurs restent hissées, rouge blanc bleu. Peut-être qu'un atterrissage en douceur c'est encore mieux. Oh, je suis sûr que question douceur, ils sont parfaits... et délicieux. C'est important — ah, la voilà. Pas étonnant que je sois pas là à cent pour cent, avec la musique qu'ils passent. Mieux vaut pas s'asseoir à une de ses tables, peux pas me faire confiance. Mieux vaut adorer de loin que de n'avoir jamais rien à adorer.

Je peux vous aider ?

J'espère bien ma belle, voyez-vous —

Vous désirez manger quelque chose ?

Oh... oui. Je vais prendre de la poitrine et une salde.

Quel genre de vinaigrette vous voulez avec votre salade ?

Italienne.

C'est comme si c'était fait.

Ah, c'est toujours comme ça... on a tout sauf ce qu'on veut tout de suite, non ? Mais je ne me plains pas. Un petit feu follet survole ma conscience, mais il va pas tarder à atterrir. La Providence y veillera. Tôt ou tard, je le verrai.

Et voilà, poitrine, salade. Je peux vous apporter autre chose ? Une boisson ?

Non, non merci. C'est parfait.

Oui, oui, c'est parfait... vraiment parfait la façon dont elle marche et... et... bref. Oh Rouge... Qui c'est déjà qui disait qu'il vaut mieux être mort que rouge ? Quelle folie. Rouge est la couleur des cheveux de ma belle... hmmm cette poitrine est vraiment délicieuse. La salade est pas mauvaise non plus. Marrant comme des sauces différentes ont des goûts si différents selon les endroits. La même vieille assiette de laitue, mais des fois l'italienne a le goût de sauce irlandaise. Me demande s'ils ont une vinaigrette particulière. Probablement mayo et ketchup… avec une goutte de tabasco. Aucun Italien qui se respecte ne trouverait bonne cette sauce, mais si vous oubliez ce que c'est censé être et l'accepter pour ce que c'est, une vinaigrette de base, ce n'est pas si mauvais. C'est comme les spaghettis en boîte. Adorais ça quand j'étais gosse. Rien de tel que des pâtes fraîches, mais si on oublie c'est pas mauvais. Bien sûr, on ne peut jamais vraiment confondre ce qui est authentique avec une triste imitation. Comme notre Jimbo. Peux pas oublier qu'il était qu'une imitation, un bout de détritus qui a été délogé de la semelle d'un pêcheur ou d'un cantonnier, et qu'on a classé dans la catégorie être humain. Le monde est plein de ces insultes à la race humaine. Et ce ne sont pas tous non plus des politiciens. Ou des télévangélistes. Ou même des syndiqués — un instant, n'allons pas si loin. Ces fumiers… Obligé de payer plus pour une miche de pain et un litre de lait… Bon, il est temps d'aller marcher un peu puis de retourner bosser à la maison.

Bon sang, des photos de la « Famille royale » à la une du journal. C'est quoi cette histoire ? S'ils veulent garder ces parasites ça me dérange pas, mais pourquoi encombrer nos journaux avec des histoires du bon prince charles et — une seconde... prince... prince... Je le tiens presque. Quelque chose qui — bien sûr, Machiavel. Diviser pour régner. Que la main droite ne sache pas ce que fait la gauche. Une seconde... oui une seconde... il se passe quelque chose — ah, l'air frais est agréable... si on peut appeler ça frais. Bon, subterfuge... diviser pour régner... enfin, régner dans un sens restreint. Certainement pas l'intention de diriger une nation. Famille royale. Pourquoi est-ce que ça continue de tourner dans ma tête? Famille royale, Famille royale. Qu'est-ce qu'ils ont à voir avec tout ça, bordel? Royalement chiants, oui. Qui trompe qui... lequel? Pourquoi???? Qu'est-ce que ça peut bien à avoir affaire avec la royauté? Royal bordel???? Royal gâchis???? Royal, Royal... Cincinnati Royals... oh allez. Folie. Bon, elle est cinglée... mais ça n'a aucun rapport avec moi. Non. Famille. Quelle famille? La famille de qui? Famille? Famille????

Famille!!!! Quelque chose se met en place — comment j'ai fait pour arriver dans le parc? Bon, asseyons-nous sur un banc sous un arbre. Hmmm, d'un calme surprenant. Vraiment agréable. À tout juste quelques rues de la maison. Me demande pourquoi je suis jamais venu ici avant. Très joli aussi. Zut... les oiseaux. Sûrement des tas de nids. Des bons arbres pour eux... lourd feuillage. Se cacher des prédateurs. Protéger leur famille. On dirait qu'une bonne partie de l'énergie dépensée par la nature sert à protéger la famille… le Klan. Ouais, y en a qui portent des jupes, d'autres des draps. Hé, une seconde. C'est cela. Chacun veut protéger la famille… quel que soit le sens qu'on donne à ce mot. Depuis le gamin des rues jusqu'au mafioso. C'est la famille. D'accord, d'accord. La famille! Doit y en avoir des tas. Législation spéciale, procureurs, enquêteurs, agents secrets, programme de protection des témoins, toute une sous-culture légale pour combattre une sous-culture illégale. Ouais, gazouillez petits oiseaux… ou chantez, comme ils disaient dans les vieux films de gangsters. Eddie G et Cagney ont jamais chanté. Ils ont dit à la flicaille où se le mettre. Oh, ça commence vraiment à se mettre en place. Ouais, chantons tous comme les oiseaux, piou piou… Salvatore Gravano, dit le Taureau. Ouais, c'est un bon point de départ. Ça prendra sûrement du temps, mais je trouverai toutes les infos dont j'ai besoin. Dois garder l'esprit ouvert et juste trouver l'info. Confiez les résultats aux mains de la Providence. Je saurai quoi faire quand le moment sera venu. Je sais toujours… Bon, mieux vaut se remettre au boulot — non! Du calme. Attendre que ça prenne forme. Ouais… demain plein de temps. Laissons courir… ouais, et que ça se présente tout seul. Comme ça le fait toujours.

Oh, quelle joie de voir un homme de foi? Vrai, chaque âme dans l'Univers se réjouit et chante ses louanges. Il suffit d'un homme de foi pour transformer le monde, et voilà que mon fils transforme ce monde d'ego et de simulacre. Oh, mon fils irréprochable, un jour tu entendras les Cieux chanter, les étoiles elles-mêmes s'agenouilleront à tes pieds. Mais tu ne penses point à ces choses, seule ta nouvelle mission te préoccupe. Médite bien ta mission, mon fils, tout t'a déjà été donné. Continuer de t'immerger dans ta tâche et ta conscience sera illuminée à chaque pas. Tu es l'aurore boréale de ma vie.

Bon, on a quoi pour l'instant... des tas de familles plus ou moins liées et/ou opposées... des tas de pièces rapportées et dérobées... pas mal de rivalité à New York. Et ailleurs. L'avantage ici c'est que j'ai pas besoin que ça ressemble à une mort normale... ouais sauf que s'entretuer est une mort normale... s'ils se tuent pas avec les cigarettes et les espressos. Bon, soyons sérieux une minute. Le problème c'est de les tuer sans se faire coincer... par eux ou la police. Mais bon, l'avantage c'est que je ne suis pas obligé de passer complètement inaperçu. Il est important que ça ressemble à n'importe quel règlement de comptes entre gangs... et dieu sait qu'il y a pléthore d'exemples à copier. Le plus sûr c'est d'agir à distance, mais d'assez près pour que ça soit précis. Faut pas que ça passe pour un accident. Dois leur faire croire que c'est une autre famille qui a agi. On a pas eu de belle tuerie entre gangs depuis un bail. Quand j'aurai fini ils seront tous en train de se dessouder les uns les autres. Dessouder ? D'où ça sort cette expression ? Bon, on a le droit de rire, c'est une bonne maladie, mais il faut que je reste sérieux suffisamment longtemps pour préparer ça. New York est toujours le centre de l'attention, donc c'est par là que je dois commencer. Mais besoin de repérer d'autres lieux. Tout organiser avant de s'y coller. Impératif. Inutile d'avoir trop de vil— ouais... oh ouais, c'est exact. L'important c'est qu'on ait l'impression que quelqu'un essaie de s'emparer de la mafia... hmmm... Eh merde, une seconde. Peut-être que j'ai pas besoin de me concentrer uniquement sur les vieux mafiosi. Ouais... Ces tarés de Russes rendent dingues pas mal de gens. En buter un... peut-être deux... des lieux fréquentés par la mafia... ouais, une bonne idée, un ou deux de ces endroits et ensuite un « club » russe. Ils vont s'entr'égorger. Ouais, ils sont encore plus fous que les Siciliens. Très bien... voyons voir. Je commence par un « social club », peut-être même celui où allait Gotti, et je fais quelques vagues. Dois leur faire croire que les Russes sont derrière... C'est quoi leur truc préféré ? Tuer, c'est tout, je crois. Ils doivent bien avoir une méthode préférée à part une balle en pleine tête ???? Ouais, mais comment je ferais pour — Non ! Peux pas réagir ainsi. Dois pas commencer à penser que je peux pas faire ceci ou cela. Établir la bonne façon de s'y prendre puis trouver la solution. Bon... D'accord, ils adorent faire exploser des trucs, ba boum. Mais comment — du calme. Laisser venir. Bon... trafiquer une bagnole est exclu. Obligé de s'approcher trop… et c'est un vieux classique. Bien trop propre. Les Russes sont tarés. Ils feraient exploser un immeuble entier pour ouvrir une noix de coco. Faut pas que ça ait l'air prémédité. Comme de marcher dans la rue et soudain de jeter une grenade. Subtil. Et évident. Agir en sorte qu'ils croient que ça ne peut être que ces putains de Russes. Ouais, pas de baiser de la mort, pas de balle dans la tête ou la gorge, pas de dernier repas. Hé, porte les bulots un moment, faut que je m'occupe d'un truc, là — D'accord, d'accord. Sérieux. Bon, faut qu'ils croient que c'est les Russes. La mafia est mieux organisée. Lâchera ses troupes dans les minutes, les heures qui suivent. Bon, je commence par quoi???? Non, faire d'abord une pause et aller manger un truc. Pas d'urgence. On se calme. À force de courir comme ça, je vais finir par me dépasser… On se calme…

… bon… je crois que c'est réglé… au moins pour le moment. Ça devrait leur faciliter les choses. Après tout, je vise pour faire plaisir. Faciliter le plus les choses pour… on va dire… les aider à faire connaissance. Un club à Coney Island explose et ils rendent visite aux Russes à Brighton Beach. Devrait prendre deux jours. S'assurer qu'ils apprennent ce qui se passe. Ensuite les Russes seront très perturbés. Qui sait ce que feront ces tarés? Si le minutage est au point… Mulberry St. Ouais… bonne idée. Puis la suite. Ouais. D'accord. Saint Louis et La Nouvelle-Orléans, ça me paraît ce qu'il y a de mieux. La logistique est complexe… ouais… mais le choix me paraît judicieux. Pourrait aboutir à un chaos merveilleux. Encore plein de boulot à faire. On dirait que ça avance pas. Un mois déjà et j'en suis que là. De toute façon, ils vont pas disparaître. Mieux vaut rien laisser de côté. Vais devoir aller inspecter ces deux villes. Trouver le plus possible sur Internet, mais au final des travaux pratiques. Ainsi donc l'affaire se corse et le plan s'ourdit... Bon, il est temps de découvrir comment fabriquer un engin explosif... petit et efficace. Ouais... puis un moyen de l'activer. Pour pas prendre de risque. Une charge légère. Bien sûr. Pas la peine que ça soit trop radical. Y laisser la peau. Besoin d'une explosion conséquente, pas monumentale. Exact. Bon, ça facilite les choses. Bon, s'en tenir au basique. Ça va très bien se passer. Jamais surfé aussi longtemps sur le Net. Savais que c'était sans fin, mais jamais fait des recherches comme ça. D'accord, une chose à la fois. Les explosifs.

... bon sang, pourquoi je lis cette merde? Ça m'a trop énervé... putain, ces gens sont malades... et ils me rendent malade. Faut que j'apprenne à pas lire ces trucs. Je me laisse happer par un gros titre et deux secondes après je sais que je pète les plombs. Qu'ils aillent se faire foutre ces fumiers. D'accord... assez. Passe à autre chose. Bref. Vais pas me mettre hors de moi et perdre de vue mon objectif. Revenons aux formules des explosifs, et non aux raisons de dynamiter le gouvernement… Ouais, c'est vraiment marrant, votre serviteur le défenseur numéro un du gouvernement. En fait rien d'incongru là-dedans. Le fait que j'ai accepté la responsabilité de nous débarrasser, nous les vétérans, d'une vipère employée par le gouvernement ne signifie pas que j'ai envie de renverser le gouvernement et de tuer des innocents. Bon sang… plus de 160 personnes. Sans compter les traumatismes des survivants. Des gosses soudain sans père, ou sans parents, des parents soudain sans enfants. Mon dieu, d'innocents petits enfants, des bébés dans les bras… les mots sont impuissants. Regardez-moi ça, je ferme la page et je suis là à me repasser ces choses dans la tête, en boucle. Faut que j'arrête de rechercher des drames pour me tourmenter. S'agirait de se mettre au boulot. Devrais être capable de mettre de l'ordre là-dedans sans trop de difficultés. Quelques ingrédients. Un ou deux bouts de bois. Et les tests, alors ? Hmmm… bonne question. Trouver un coin désolé et utiliser une toute petite quantité, devrait pas faire plus de bruit qu'un pétard. Mais il y a toujours la possibilité que ça attire l'attention. Je ne sais pas. Où je peux aller… où ça ???? Des tas de zones boisées où je peux aller. Sans me faire voir. Ouais, allez savoir les conséquences. Supposons qu'un incendie se déclenche. J'ai pas vraiment envie de détruire une forêt entière. En plus on pourrait me voir. Je sais pas. Merde. Pensais pas que cette partie serait aussi difficile. La dernière fois j'ai juste foncé et ça s'est très bien passé. Mais là c'est différent…

Vraiment ? Admettons que j'aille simplement dans le « club » et que je frappe. Qu'est-ce que je perds si ça marche pas ? Hein ? Bon, on pourrait me voir… ouais, possible. Mais s'il n'y a pas de dégâts où est le problème alors ? D'accord, ça peut poser un problème, mais ça me semble nettement mieux, pour des tas de raisons, que de déclencher un feu de forêt. Je sais pas, ça me semble une bonne idée d'aller droit au but. Ça a marché les autres fois. Ouais, d'accord, je suis pas obligé de décider tout de suite. Dormir d'abord et voir comment je le sens demain. Je saurai. Comme chaque fois. Trop énervé à force de lire des trucs sur ces tarés sanguinaires. Faut se calmer, je sais. D'accord. On oublie. Demain.

Bon… une autre journée qui commence. Les oiseaux sont déchaînés ce matin… écoutez-moi ces pinsons. Ils en veulent. Me rappelle un petit poème, ça parle d'un oiseau sur un rebord de fenêtre qui chante et fait venir le matin et ce genre de choses et se finit par le narrateur qui dit qu'il referme doucement la fenêtre et écrase sa putain de tête. Je ne suis PAS du matin. Enfin peut-être que si. M'en fiche que les oiseaux chantent. Plutôt agréable en fait. Surtout les merles. Ils vont bientôt s'y mettre. Assez plaisant. Pourquoi quelqu'un voudrait-il écraser la tête d'un oiseau ? Ils sont vraiment gentils.

Ça paraît un peu macabre. Mais bon, stop. Évident que ça sert à rien de tester l'engin, même s'il est petit. Je tente le coup, c'est tout. M'a l'air facile à assembler. D'abord le « déclencheur »... Ça me plaît ça, le « déclencheur ». Très officiel. Taper à la machine un petit mode d'emploi et le soumettre au ministère de la Défense. Ils pourraient financer ma démarche. Tu parles, aller voir la CIA et se faire embaucher. Ouais, un temps. Jusqu'à ce que je veuille démissionner. Pas de retraite chez ces salauds. L'anonymat existe pas. La façon la plus sûre de bosser. D'accord, assez de baratin à la con. Il est temps d'aller au garage et de fabriquer l'arbalète.

Très bien, voyons voir si je peux atteindre la cible... Merde, cette saleté est pas facile à charger... Bon, voilà... Chtonk, comme ils disent dans les dessins animés. Hmmm, ça pourrait être pire... nettement pire, je crois. Suis très loin de là où je visais... mais tout ce que j'ai à faire c'est de la passer par une fenêtre ou une porte. Merde, ce truc est passé à cinq centimètres de la planche. Bon, un peu d'entraînement et je serai certainement en mesure de me débrouiller. Ouais, vaut mieux entourer quelque chose autour de la pointe pour voir ce qui se passe. Des tas de dangers inhérents. Dois attendre que la cible soit bien visible, surtout pas rester planté devant à attendre. Et se balader en voiture avec des explosifs... bon, au moins c'est une petite quantité. Cette arbalète doit être la plus petite sur le marché, pliante, assez facile à cacher… jambe de pantalon, manche, ce genre. Très simple et pratique mais peut quand même créer des problèmes. Pas assez étudié la chose. Pas naïf ou complaisant. Ai vraiment fait des recherches. Juste que j'ai un sentiment positif quant à ce projet. Comme les autres fois. Mais là c'est plus excitant. Plus dangereux… pour ce qui est de la cible et des moyens. Être plus prudent. Modifier davantage mon apparence. Ça serait avisé. Paraître le plus russe possible. Pas mal d'entraînement. Que ça reste simple. Un peu de maquillage. Un chapeau. Harmoniser les horaires. New York, Saint Louis, La Nouvelle-Orléans. Changer de vêtements. D'apparence. Toujours aux aguets. Toujours simple. Caméra numérique facilite les choses. D'abord en finir avec le « matériel ». Vive la technologie. Faut que ça ait l'air grossier. Comme eux. Et insensible. Monsieur Caméléon. Mais pas complètement. Peux pas être vraiment invisible. Mais je peux avoir l'air de ce que je suis pas. C'était qui ce type masqué ? Votre pire cauchemar, stupides hommes blancs de mes deux ! Monsieur Propre arrive. Va nettoyer toute cette merde. Ça va rutiler. Acheter quelques fringues à l'Armée du Salut. Dans des magasins d'occasion. Un vêtement ici… un là. Pas de trace. Pas de lien. Juste un petit gars de la ville pris dans un monde de bouseux. Excitant. Qui réalise un fantasme. Le gendarme et les voleurs. Bang bang t'es mort. Non, tu m'as raté. Mon cul ! Je t'ai touché entre les deux yeux. Pas vrai, t'as raté ta cible… pauvre bouseux.

La vache, cette visite virtuelle est excellente. Arrive pas à avoir les détails dont j'ai besoin, mais une bonne idée de la disposition générale. Ouais. Bon sens de la ville. Étudier la zone cible. Connaître toutes les rues... les endroits qu'ils fréquentent. Synchroniser toutes les actions. Une apparence différente chaque fois. Passer inaperçu. Pas le cas les deux dernières fois. Même apparence... mêmes vêtements. Que les témoins interrogés aient une impression « générale ». Avoir l'air russe. Personne ne saura jamais quel immense acteur je suis. Quel as du plan. Quel instigateur... Agent provocateur. Je devrais peut-être tenir un journal ? un journal de bord. Pour la postérité. Tentant. Très tentant. Trop bête. Débile. Mais bon, quand tout ça sera fini... satisfaisant d'être le malin génie derrière tout ça. Personne ne connaîtra jamais mon génie... en tant qu'acteur, penseur, planificateur, en tant que bienfaiteur. Peux pas laisser l'ego se mettre en travers. Toujours s'en remettre à la Providence. Bien assez de satisfaction comme ça. Pas de manifeste. Pas de journal. Pas d'explication. Emporter tout dans la tombe. Oh, c'est un si beau plan. Et l'exécution sera impeccable. Simplicité. Toujours que ça reste simple. Petite arbalète de bois. Se brise en deux petits morceaux. Plastic. Plus du magnésium en poudre pour le flash.

Ahhh, agréable de rentrer chez soi. Une sacrée balade. Ouais... très productive. Vite, se connecter, qu'ils sachent que je suis de retour.

Voyons voir si je me souviens encore bien d'eux. Un rapide survol de la bande. Juste le — Non. Détails. Tous les détails. Tous les points de vue. Pas de conjecture. Chaque entrée. Allée. Ouais… c'est ça, toujours une poubelle là. Les lampadaires loin des carrefours à La Nouvelle-Orléans. Des petites choses. Panneau à Saint Louis qui cache tel coin de rue. Petites choses = grande vision…

Ouais, ces dessins sont exactement comme ceux que j'ai faits sur place. Bien. Me rappelle tous les détails. Même les graffitis sur la benne à ordures. Très bien. Je suis prêt. Fin prêt. Ouais, faut que je me calme. Tout en douceur… inspirer expirer… inspirer expirer. Travailler quelques jours. La routine. Puis… le matin Coney Island, l'après-midi Saint Louis ; le lendemain matin, La Nouvelle-Orléans. Un, deux, trois. Boum, boum, boum. La fumée se dissipe, début de l'action… début des réactions. À Coney Island je suis russe. À Saint Louis italien. À La Nouvelle-Orléans quelconque…

Ouais, on a vu un type, pas vrai Joey ?

Ouais, il était louche.

Qu'est-ce qu'il fabriquait exactement ?

Ben, vous savez, il traînait dans le coin, genre louche, pas vrai, Joey ?

Ouais. Plutôt bizarre.

Bizarre ?

Ouais. Y devait être russe.

Ouais, ouais. Il était russe.

Retour à la routine pendant quelques jours. Me libérer l'esprit. Me détendre. Dois rester vigilant. Visible seulement une seconde. Puis on plie et on remballe. Si on me remarque ça ajoutera à la confusion. L'explosion brouillera les images dans l'esprit des gens. Tout ce qu'ils se rappelleront comme sortant de l'ordinaire jouera en ma faveur. Ils seront persuadés que je suis celui que je veux qu'ils croient. Toujours énormément de confusion après une explosion. Limiter les explosions. Faut pas que ça soit trop... risquerais de blesser des innocents. Le magnésium en poudre va faire un gros flash, les gens verront rien pendant une seconde. Oh et puis zut. L'heure de manger. Et après peut-être un film. Changer de rythme. Se détendre.

N'est-ce point une belle chose que de voir un homme aussi simple, minutieux et franc, et qui fait chanter les Cieux? N'est-ce point une belle chose que de voir un homme, n'importe lequel, se consacrer entièrement à l'accomplissement de sa tâche? L'attention méticuleuse portée au moindre détail n'est-elle pas aussi belle qu'une peinture de la Renaissance... qu'une fugue de Bach? Et n'est-ce point une belle chose que de voir tout cela combiné avec un cœur audacieux? Voyez avec quelle aisance il se déplace dans les aéroports, sans précipitation mais en s'en tenant à son horaire. Oh, quel plaisir je prends dans chacun de ses mouvements, sa nonchalance apparente, son indifférence à ce qui l'entoure, et pourtant rien n'échappe à son attention. Un père peut-il être plus fier de son fils ? Je ne le pense pas, même si l'on remonte aux temps immémoriaux il n'y a pas de fils plus agréables aux yeux de son père.

... J'y crois pas. Je suis rentré. Moins de 48 heures. On dirait des semaines. Intense. M'en rends compte à présent. Relâcher la pression. Une bière fraîche et un fauteuil. Ahhhh... Oh, comme c'est agréable. Des moments flippants. Très. Mais pas la moindre anicroche. Tout fait. Boum ! Boum ! Boum ! Comme ça. Un, deux, trois. Ouno, dosse, tresse. Ouais... Ils ont eu droit à la totale. L'impression d'avoir couru pendant des jours. Elle m'a regardé droit dans les yeux. Pendant que je visai. La bouche pareille à un tunnel. Les yeux exorbités. Le déguisement l'a abusé. Idem pour l'explosion. M'a mise sur le cul moi aussi. Une légère erreur de calcul. Heureusement que je m'étais posté au coin. BaBoum ! Ouais !!!! Les lanceurs de bombes ont dû être abasourdis. Ouais... Leur club va avoir besoin de réparations. Explosé, comme on dit. Tiens pas en place. Une autre bière me fera du bien. Me connecter et voir ce qu'ils racontent... ce que la télé raconte...

« ... et suite à l'explosion dans Mott Street mercredi, les autorités ont annoncé que l'enquête avait révélé qu'il ne s'agissait absolument pas d'une fuite de gaz mais d'un engin explosif. La cible était apparemment le Social Club italo-américain, qui a subi d'énormes dégâts. Heureusement, aucune des vitrines avoisinantes n'a été sérieusement endommagée. Les cinq occupants du club sont encore hospitalisés. Le porte-parole de l'hôpital a déclaré que Benjamin (Benny N'a qu'un Œil) Lazarno et Louis (Luke le Barbouze) Nagernno sont dans un état critique mais stable — Vous avez du nouveau, Sally, je crois. »

« Oui, effectivement, Steve. Je suis actuellement sur les lieux de l'explosion, et j'ai avec moi deux jeunes hommes qui pensent avoir vu l'auteur de l'attentat. Bien, dites-nous ce que vous avez vu… »

« Ben, vous savez, on a vu un type — »

« Vraiment bizarre. »

« Ouais, avec une drôle de barbe ? »

« Et c'était pas un hassidique. »

« Ouais, c'était pas un juif. »

« Non, c'était un Russe. »

« Ouais, il était blond et frisé genre. Et il avait un accent. »

« Ouais. »

« Qu'est-ce qu'il a dit ? »

« J'en sais rien, c'était du russe. »

« Et voilà, Steve, c'était le récit d'un témoin oculaire. »

« Prochain bulletin — »

Eh bien… vous vous rendez compte ? Ils croient que c'est un Russe. Bon sang, comme c'est facile de les berner. Voyons ce que nous avons côté ouest et sud. Bon, voyons ce qui se passe à Saint Louis... C'est parti... UNE EXPLOSION FAIT UN MORT ET SIX BLESSÉS. Hmmm... engin explosif... Social Club... très bien, assez là-dessus, quel... d'accord, c'est là... le défunt devait être en train de traverser la salle quand l'explosion s'est produite, il a dû se jeter sur l'engin et s'est pris de plein fouet l'explosion... il a été littéralement déchiqueté en une douzaine de morceaux — oh, c'est chouette, ça — et les autres ont subi des blessures graves, mais leur vie n'est pas en danger. Bien, bien, bien, si c'est pas horrible tout ça. Merde, ça c'est un héros. A donné sa vie pour ses amis. Quel plus grand don pouvait-il faire à ses amis que celui de sa vie. C'est ça que j'adore chez ces types, leur sens increvable de la loyauté. Tous pour un et un pour tous. Repose en paix, mon frère, car tous les hommes sont frères. Un moineau peut-il tomber du ciel sans qu'une larme coule de mon œil ? Va en paix rejoindre ton créateur ordure. Voyons ce qu'il y a d'autre... non, aucune mention d'une autre activité, pas de guerre des gangs... pas encore. Ouais. Le mot clé : pas encore. Allons jeter un coup d'œil à nos amis, nos acolytes, en Louisiane. Ah, nous y voilà. Un autre gros boum. Oh, et un incendie. Une heure pour l'éteindre. Hé, 8 personnes hospitalisées, 3 dans un état très critique. Pas certain qu'ils passeront la nuit. Ouais, pourquoi s'en faire ? Vont bien finir par crever un jour ou l'autre de toute façon, autant que ça soit tout de suite. Après tout, vous êtes déjà à l'hosto. Autant profiter du déplacement. Vous venez de vous taper une explosion alors autant aller au grand Social Club céleste. C'est à vous de voir. Ouais, super photos. Ils ont dû envoyer quelqu'un sur place immédiatement. A vraiment mitraillé. Concentré sur le bâtiment. Visiblement pas un pro. Pas de photos montrant les expressions des gens. Il devrait y avoir quelque chose dans l'article sur un... tiens, c'est là. Une femme a été hospitalisée... choc émotionnel extrême... a déclaré aux autorités qu'elle a vu l'homme responsable de l'explosion, il ressemblait à Groucho Marx et dirigeait une arme spatiale sur le bâtiment. Elle a dit que ça ressemblait à un pistolet laser fait dans un matériau spécial qu'elle n'avait jamais vu avant, venu sans doute de l'espace. Elle n'a cessé de parler d'un nez et d'une moustache à la Groucho... Ah ah ah, je le savais, je le savais. Rien n'est plus subtil que d'être trop évident. Un vrai coup de génie de mettre ces lunettes Groucho avec le nez et la moustache. Je me suis presque figé quand elle est arrivée au coin, pendant que je visais avec ma petite arbalète, mais quand elle m'a regardé j'ai juste plissé le front et mes monstrueux sourcils et j'ai dit : « Prononce la formule magique » puis j'ai tiré. Ba-boum. Au mauvais endroit au mauvais moment. Espère qu'elle se remettra. Traumatisant de tomber sur Groucho avec un pistolet laser, toutes ces années après sa mort. C'est un coup à vous donner envie d'arrêter de boire ou de faire ce que vous faisiez. Je devrais peut-être aller la voir. Oh bon dieu, ça la détruirait pour de bon… mais je vous assure, docteur, Groucho était là hier. Non, je ne devrais même pas penser à des choses comme ça. Je ne veux pas qu'elle ait le moindre ennui. T'en fais pas ma belle, je ne t'enverrai pas de photos de Groucho. Même pas un beau tirage dédicacé. C'est bon, ça suffit. L'heure de manger. Faire du pop-corn au micro-ondes et ouvrir une autre bière. Une soirée à savourer. Devrait y avoir plus de détails demain. Qui sait, il y aura même peut-être davantage de représailles. Qui sait? L'ombre sait. Ouais, l'ombre sait sait sait c'est moi. Oh la vache, je me sens voluptueux. Comme c'est providentiel. Non, je me sens d'humeur festive. C'est absolument ça, festif. Envie de faire la fête. Je suis vraiment le roi. Je suis au sommet du monde. Ouais, lui aussi a explosé boum. Mais votre serviteur. Le seul truc qui pour ainsi dire explose dans ma vie, ce sont les pop-corn. Un vieux film, y a rien de mieux. Ou un Bugs Bunny ou un Rocky et Bullwinkle. On verra. Commence à me sentir un peu fatigué maintenant que je suis détendu. Devrais passer une bonne nuit de sommeil bien reposante. Demain sera une autre belle journée, avec ou sans nos amis ailés qui gazouillent. Bon, allons voir ce qu'ils passent sur la chaîne des vieux classiques…

… ah oui, piou, piou, piou… gazouillez mes amis ailés. C'est vous que devait entendre Beethoven quand il se promenait dans ses forêts bien-aimées…

ouais, jusqu'à ce qu'il soit sourd. Me demande combien de temps il les a entendus ? Il les a sûrement entendus dans sa tête longtemps après. Mais bien sûr, il n'avait pas à craindre qu'ils laissent leur carte de visite sur une voiture qu'on vient juste de laver et de passer au polish... Suppose qu'il y a pas de chats dans le coin, ils ont pas l'air d'être dérangés. Alors chantez, mais n'oubliez pas que j'ai parlé en votre faveur aux chats des voisins alors laissez cette Lexus bleue tranquille, d'accord ? Oh, ça va être une belle journée. L'heure de manger. Ouais... petit déjeuner, marcher jusqu'au banc, s'asseoir, écouter les oiseaux et lire le journal. Tiens, c'est marrant, j'avais jamais réfléchi à ça, mais le journal c'est comme un pigeon voyageur amélioré. Communication. Toujours la chose la plus importante sur terre. Les Rothschild ont amassé une fortune parce qu'ils ont appris la défaite de Napoléon avant le gouvernement britannique. Tambours, fumée, cris, pigeons, télétype, radio, tout ça, on n'est pas mieux lotis que quand on cognait deux bâtons l'un contre l'autre. On peut recevoir et envoyer l'information presque instantanément mais ça n'empêche pas le massacre. Alors à quoi ça sert??? se faire plus d'argent ? L'information nous sort par le trou du cul et on peut toujours pas communiquer. Enfin bref, c'est plus mon problème. Je communique suffisamment à mon goût. Ouais, quel dommage que je puisse pas communiquer ça à quelqu'un, mais c'est la vie. Au moins je sais que les bonnes personnes reçoivent le message. Hé, c'est pas mal, ça. Bon, c'est l'heure d'aller se promener, de manger, puis de lire. Me demande si la rouquine travaille aujourd'hui. On dirait que ça fait des mois que je suis pas allé là-bas. Arrive pas à me rappeler ses horaires. En fait, sais pas si ils ont les mêmes horaires. Doivent sûrement tourner. Bon, bref, manger un morceau. Aller retrouver les oiseaux et commencer la journée en chanson, et pas trop se faire de mouron…

C'est vraiment un endroit délicieux. Sert à rien de se dire que j'aurais pu le trouver plus tôt. L'apprécier aujourd'hui. Suffisamment loin de la route pour qu'on entende la brise dans les arbres. Espère que les oiseaux me respectent. Faut que je vienne ici un soir où il fera chaud. Pour voir les étoiles scintiller entre les arbres. Non. Peux pas laisser mon esprit vagabonder comme ça. Besoin de rester en alerte. Que ça devienne une habitude… ici, tout de suite. Toujours sur le qui-vive. Comme ce que je lis dans le journal. Des millions de gens qui meurent de faim ; des centaines de millions de gens massacrés ; des femmes et des enfants découpés et brûlés… Sais même pas si c'est le journal d'aujourd'hui, celui d'hier, de la semaine dernière, de l'an dernier… toujours la même chose. Quel monde. Ce n'est que violence, meurtre, massacre, tout sauf la paix. Franchement, l'inhumanité de l'homme au — Oh non ! J'y crois pas ! Mais quelle est cette folie ? Combien de temps vont-ils laisser ce genre de choses se produire ? On devrait prendre des mesures pour que ça cesse immédiatement. Immédiatement !!! C'est proprement scandaleux. Oh ouais, tu l'as dit bouffi. Oh là là… nom d'un hareng chauve. O tralala boum boum, tralala, oh mon dieu quelle belle journée… Les autorités redoutent une guerre des gangs à Brooklyn. Hier à 9 h 42 du matin, une bombe a ex — ouais, ouais, on est au courant, allons au passage qui nous — et voilà, c'est ici, ouais, Un bar de Brighton Beach, fréquenté par la mafia russe, a été attaqué à la grenade et au fusil automatique — Super ! Droit dans le mille ! — Les premiers témoignages font état de dégâts graves et on confirme 4 morts et 5 blessés graves. L'incendie s'est déclench — ouais, ouais. Oh bon sang, comme c'est excitant. Attention, là, attention. Expirer inspirer… Expirer inspirer. Tout en douceur. Je m'excite trop et le sommet de mon crâne va exploser. Après tout le temps passé là-dessus, c'est pas le moment de craquer. Dois y aller mollo. Pas envie de faire une crise cardiaque. Oh bon sang, je me sens si bien que ça fait mal. Ai la tête qui tourne bordel. Bon, allez, continue de respirer… expirer… inspirer… tout en douceur… tout en douceur. Ouais. Bon sang, les gens sont prévisibles. Font toujours des conclusions hâtives. La guerre totale. On n'a pas eu de guerre totale à Brooklyn depuis des années. Me demande s'ils savent encore comment s'y prendre. Est-ce que les mafiosi d'aujourd'hui savent encore « faire le ménage » ? Oh c'est merveilleux… putain c'est délicieux. Ils s'entretuent. Ils sont pas croyables ces connards. Je savais qu'ils le feraient. Je le savais absolument, mais je suis quand même surpris de voir à quel point la cupidité peut les rendre stupides. Bon, merci mon dieu pour ça. Me demande s'il se passe autre chose ailleurs???? Apparemment rien dans le journal. On verra plus tard sur le Net. Je suis sûr qu'ils feront de même. La vache, ça cogne toujours dans ma poitrine, mais ça s'arrange... mon cœur bat moins fort. Mieux vaut rester assis ici encore un moment. Ouais... la brise est agréable. J'irai mieux dans quelques minutes. Pense pas avoir été aussi excité. C'est encore mieux que les autres fois. Les pousser à s'entretuer c'est sublime, absolument sublime. Va falloir attendre un moment avant de pouvoir marcher, je le sens. Qu'est-ce que ça change. Pas besoin de bouger. Rester assis autant que je veux. Aurais dû amener quelques noisettes pour les écureuils. Rien à faire et plein de temps à tuer. Alléluia... Mais à part ça Monsieur Lincoln, qu'avez-vous pensé de la pièce? Ouais, la pièce, c'est la pièce qui compte. Qu'est-ce qu'on joue ensuite? Oh, il y a tellement de candidats. Des banquiers, des avocats, qui tous méritent mon attention. Comme l'autre inspecteur d'assurances, là, Quackenbush. Quackenbush... vous auriez son nom, vous aussi vous seriez une fouine d'escroc. File à Hawaï et s'en sort. Qui, Quackendabush? No Chico, c'est un oiseau qui roule et qui amasse de la bouse. Mince, il mérite bien un peu d'attention. Mais rien de gratuit.

Pas de châtiment pour le plaisir du châtiment... bon, c'est la méthode américaine, punir, punir et ensuite punir. Pas envie de tomber dans ce piège du châtiment. Bon dieu non, c'est la dernière chose dont j'ai besoin. Laissons ça aux chrétiens. Et zut, pas la peine de perdre mon temps à m'occuper d'eux, j'ai d'autres marrons sur le feu. Hmmm, des marrons sur le feu, ça me semble bien appétissant. Si j'étais un peu plus calé en électricité, j'y arriverais peut-être. Bon sang, toute l'industrie de l'assurance est remplie d'individus méritants. Seigneur, qu'est-ce qu'ils sont ignoblineux. Et y a Al Dunlap, dit la Tronçonneuse. Quel invité il ferait à un dîner. « Dites-moi, Albert, combien de milliers d'employés avez-vous viré aujourd'hui ? » Le problème c'est quand on commence à penser à toutes ces raclures, la liste est infinie. Bon, j'ai largement le temps... une vie entière, en fait. Maintenant que je sais quel est mon but sur terre je peux me détendre et être sûr que je ne gaspille pas mon énergie. Prendre les mesures d'élimination les plus efficaces. Tout le monde a besoin d'un but pour vivre. Même des vermines comme Barnard. Mais il nous faut un but supérieur... Ouais, la noblesse. Doit être noble en pensée et en acte. Seule façon d'obtenir des résultats nobles... Ouais... suppose que cette excitation se calme. Rentrer tranquillement à la maison. Ça serait une bonne idée de voyage. Changer de paysage. Bon pour l'esprit... et l'âme. Ouais... L'idée me plaît. Les Bahamas... ou le Costa Rica. Voilà une super idée.

Ouais. Le Costa Rica. Décrocher quelques semaines, laisser ces derniers mois se tasser… hmm, une année quasiment en fait. Allez savoir. Ouais, laissons décanter tout ça. Revigorer mon corps, mon esprit et mon âme. Comme de me vider pour que la Providence puisse me montrer le chemin vers ma nouvelle entreprise. Du nerf, du nerf, du nerf…

… merde, je viens d'apprendre que le Costa Rica était le dernier endroit, mais c'est complètement… Quelle vue spectaculaire… arbres, broussailles, soleil scintillant et se reflétant… et pas d'armée. Mieux que le paradis. Ouais demain j'irai dans la forêt tropicale. Et qui sait après ça. Et ils continuent à se zigouiller entre eux… et ça s'étend à Chicago et Miami. Ohhh, comme c'est beau… soleil chaud, brise douce, boisson fraîche et ces stupides *pisanos* et Russes qui continuent de se zigouiller les uns les autres. Ça oui, la vie vaut la peine d'être vécue finalement.

Amen.

Oui. Le Costa Rica. Dès les quelques semaines passées dans ce pays nous [illegible] une envie obsédante : en faire Alice savoir. Oui, le cancer dont [illegible] tout son corps, mon corps et son âme. [illegible] de me [illegible] pour que la Providence puisse me montrer le chemin : c'est une nouvelle entreprise. Diriger du [illegible]…

Je viens de [illegible] d'apprendre que le Costa Rica [illegible] était le dernier [illegible] complètement. Que je vous raconte dans [illegible] mousses [illegible] scintillant et se reflétant [illegible] c'est d'ailleurs Alice que le paradis. Que demain j'irai dans la forêt tropicale. [illegible] continuera à [illegible] Chicago en [illegible]. [illegible] sur la main, [illegible] des [illegible] qui [illegible] [illegible] la peine d'être [illegible] [illegible].

Anna.

10/18, une marque d'Univers Poche,
est un éditeur qui s'engage pour
la préservation de son environnement
et qui utilise du papier fabriqué à partir
de bois provenant de forêts gérées
de manière responsable.

Cet ouvrage a été imprimé en France par

à Saint-Amand-Montrond (Cher)
en juin 2014

Dépôt légal : janvier 2007.
N° d'édition : 3922. — N° d'impression : 2010415.
Nouveau tirage : juin 2014
X04379/04.